À notre petite princesse, future globe-trotteuse…

Et à nos adorables Emma, Louis, Nathan, Éléonore, Gabriel, Jeanne,
Quentin, Louis, Paul, Antoine, Raphaël, Camille, Jules, Camille, Cassandre, Ambre et Adèle !

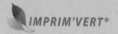
IMPRIM'VERT®

Création graphique : Atelier S A J E

Imprimé en France par IME - 25110 Baume-les-Dames
N° d'édition : 70117635-02/déc2014 – Dépôt légal : septembre 2013

Aurélie Derreumaux
et Laurent Granier

LA FRANCE
en sac à dos

ILLUSTRATIONS D'ANNE-LISE BOUTIN

Belin
Jeunesse

SOMMAIRE

SOMMAIRE

PRÉFACE

DE NICOLAS VANIER

Quel plus bel hommage peut-on rendre à un pays aussi fascinant que la France, sinon le projet que Laurent et Aurélie ont, dans le vrai sens du terme, mis sur pied !

À pied, oui, et avec toute leur énergie, ils ont entamé ce tour de France et parcouru nos régions pour nous les faire redécouvrir au rythme de leurs pas, au gré de leurs rencontres et fidèles à l'histoire et aux traditions qui ont façonné ces terroirs au fil des siècles.

Moi qui ai fait mienne cette maxime : «On ne gagne vraiment que le temps perdu en chemin», je ne peux que saluer leur initiative. S'aventurer dans les endroits les plus reculés de la planète en utilisant seulement des moyens de déplacement naturels et adaptés aux régions traversées répond depuis toujours à ma philosophie du voyage. Comment prendre le temps de comprendre un pays autrement qu'en respectant le milieu, les gens qui y vivent et le rythme des vies qui s'y épanouissent ? Là où le traîneau à chiens, à rennes ou les canoës se frayent un passage dans la taïga et sur les rivières, la marche à pied reste, en France, à la mesure du territoire.

C'est ce que démontrent Laurent et Aurélie et nous les suivons avec plaisir dans leurs pérégrinations. À petites foulées, ils nous livrent leur carnet de voyage et nous font partager leur enthousiasme de la découverte. Pédagogique tout autant que ludique, on ne peut que leur emboîter le pas dans ce tour de France original. Après la France vue du ciel et en images, *La France en sac à dos* visite le pays dans l'intimité de ses régions, où les richesses ne se dévoilent qu'à hauteur d'hommes, où les secrets ne se confient qu'à portée de voix… Anecdotes, portraits, métiers, traditions et cultures locales viennent émailler le récit de leur périple dans ces villages, dans ces montagnes et leurs vallées, le long des côtes et dans ces campagnes qui font toute la variété de notre magnifique pays.

Après avoir sillonné les endroits du monde les plus sauvages et ceux magiques du Grand Nord, je n'ai pour autant jamais imaginé quitter la France. Si le Canada, la Sibérie, théâtre de mes expéditions depuis plus de trente ans, me fascinent totalement, je reste néanmoins profondément attaché à mes racines françaises. J'aime ce pays et je ne cesse de m'émerveiller devant cette diversité qui s'offre au regard. C'est un ouvrage comme celui-ci qui, au-delà du cheminement de ses auteurs et des informations aussi variées que pertinentes, peut donner l'envie de préserver tous ces trésors nationaux.

En prenant conscience de l'enchantement que procure la rencontre avec un animal sauvage au détour d'un sentier de forêt, la découverte d'un savoir-faire chez un artisan et des traditions locales d'un petit village, on encourage les jeunes à s'intéresser à leur histoire, à leur culture et à leur environnement.

Comment défendre quelque chose que l'on ne connaît pas et dont on ne peut apprécier la valeur ? Alors oui, montrer les richesses, expliquer les enjeux et amuser avec des exemples nos enfants est essentiel à leur connaissance du monde actuel. Et notre responsabilité est là. Nous devons éveiller leur intérêt et susciter leur curiosité. Ce livre, à l'instar du mouvement « *slowattitude* » que l'on observe dans plusieurs domaines, vous prend par la main et vous emmène dans les pas de Laurent et Aurélie, avec qui on s'émerveille, on sourit, on s'instruit et on compatit, quand les ampoules et les courbatures leur rappellent que la France n'est pas un si petit pays !

Bravo pour leur courage et leur enthousiasme et bonne route à ce livre complet et passionnant...

NOTRE AVENTURE

*Faire le tour de la France à pied,
en suivant au plus près ses frontières,
voici le défi que nous nous sommes lancé.
Au total, plus de 6 000 kilomètres à parcourir !*

Mais comment est né ce projet un peu fou ?

Depuis qu'il est enfant, Laurent se balade sur le GR34, le sentier des Douaniers entre Perros-Guirec et Trébeurden. C'est là, sur la côte de Granit rose, qu'il passe toutes ses vacances et c'est toujours ici qu'il revient quand il rentre de voyage. Un beau jour, il se dit : « Si je suivais ce sentier jusqu'au bout ? » Il découvre alors que ce chemin mène sans discontinuer du Mont-Saint-Michel jusqu'à l'estuaire de la Loire, soit plus de 1 600 km ! Puis il s'aperçoit que le GR10 va de la côte atlantique à la Méditerranée en passant par les Pyrénées, puis que le GR5 conduit de Menton jusqu'au nord du Jura… « Mais alors, si tous ces sentiers existent, il est possible de faire le tour de la France en les suivant ! » conclut-il.

Tous les deux, nous avons beaucoup voyagé de par le monde : en Amérique du Sud, en Asie, en Alaska. Mais à force de partir à l'étranger, nous nous rendons compte que nous connaissons assez peu notre propre pays ! L'heure est donc venue pour nous d'organiser un grand voyage… en France pour partir à la découverte de ses régions et de ses habitants, de son histoire et de sa culture, de sa faune et de sa flore, de ses métiers traditionnels et de ses pratiques sportives, sans oublier bien sûr sa gastronomie !

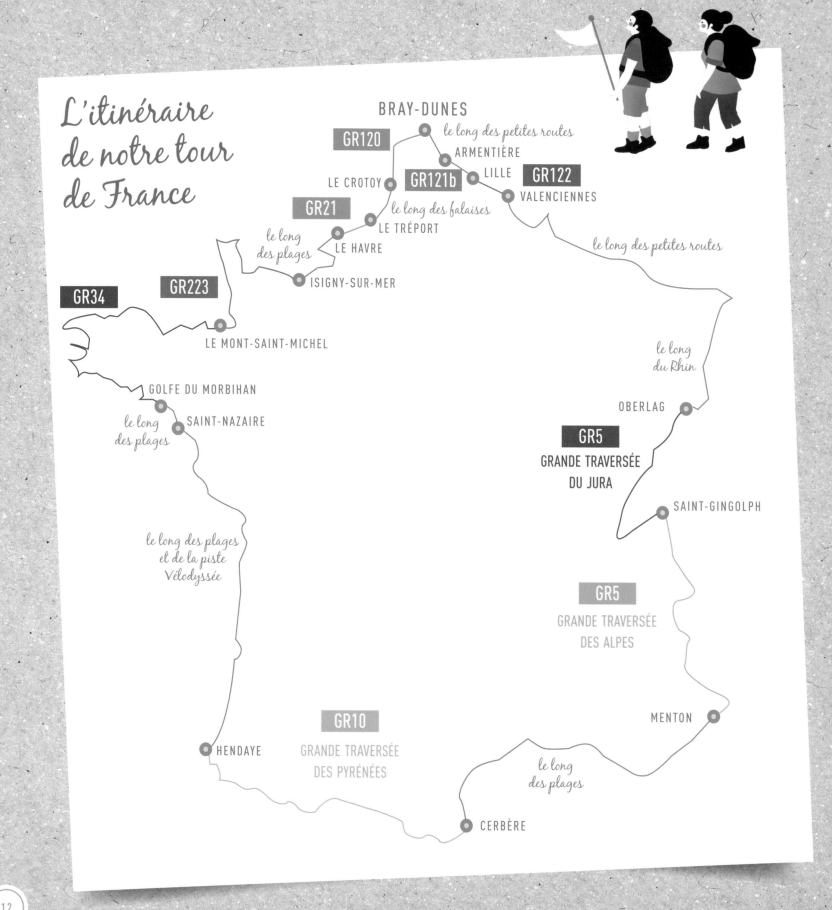

L'itinéraire de notre tour de France

BRAY-DUNES

GR120

le long des petites routes

ARMENTIÈRE

GR121b

LILLE

GR122

LE CROTOY

VALENCIENNES

GR21

le long des falaises

LE TRÉPORT

le long des plages

LE HAVRE

le long des petites routes

ISIGNY-SUR-MER

GR223

GR34

le long du Rhin

LE MONT-SAINT-MICHEL

OBERLAG

GOLFE DU MORBIHAN

GR5

GRANDE TRAVERSÉE DU JURA

le long des plages

SAINT-NAZAIRE

SAINT-GINGOLPH

le long des plages et de la piste Vélodyssée

GR5

GRANDE TRAVERSÉE DES ALPES

MENTON

GR10

HENDAYE

GRANDE TRAVERSÉE DES PYRÉNÉES

le long des plages

CERBÈRE

Le point de départ de notre incroyable randonnée est Bray-Dunes, la ville la plus au nord de la France, sur la frontière belge. Après un an de marche, nous reviendrons dans cette même ville, après avoir longé la Manche et l'Atlantique, traversé les Pyrénées, foulé les bords de la Méditerranée, parcouru les Alpes puis le Jura, remonté le Rhin, et franchi les Ardennes!

Pour entraîner dans notre voyage le plus de monde possible, nous avons pris quatre grandes décisions:
1. Nous n'avons emporté ni tente ni sac de couchage: nous dormirons chez les gens que nous rencontrerons en chemin!
2. Nous proposerons à tous ceux qui le souhaitent de venir marcher avec nous.
3. Nous vendrons symboliquement nos kilomètres au profit de l'association Handicap International, qui aide les personnes handicapées en Asie et en Afrique. «Marcher pour ceux qui ne peuvent pas marcher» est devenu notre credo et donne un véritable sens à notre voyage.
4. Nous partagerons notre expérience avec des adolescents de Bourges, qui sont en rupture scolaire: ils suivront nos aventures sur notre site internet, organiseront eux-mêmes une marche solidaire pour Handicap International et, dans quelques mois, ils viendront nous rejoindre!

Alors, prêts à vivre avec nous cette fabuleuse aventure autour de la France? C'est parti!

Mer du Nord

Vers l'Angleterre

BRAY-DUNES

MALO-LES-BAINS

GRAVELINES

DUNKERQUE

CAP BLANC-NEZ

CALAIS

CAP GRIS-NEZ

Manche

La côte d'Opale

BOULOGNE-SUR-MER

Mou
des Fla

Baie
de Canche

LE TOUQUET-PARIS-PLAGE

Parc naturel
régional des caps
et marais d'Opale

La Canche

PAS-DE-CALAIS

Baie
d'Authie

BERCK

Baie
de Somme

Parc
du Marquenterre

L'Authie

ARRA

LE CROTOY

250 km

La Somme

LE TRÉPORT

SOMME

SEINE-MARITIME

AMIENS

Le Nord

BELGIQUE

LILLE

NORD

NORD-PAS-DE-CALAIS

AISNE

PICARDIE

~~~ 13 août ~~~

LE GRAND DÉPART !

C'est le grand jour ! Le départ de notre tour de France est donné. C'est de **Bray-Dunes**, la ville la plus au nord de la France, que nous partons. Et nous avons prévu d'y revenir dans un an, après plus de 6 000 km parcourus le long de nos frontières ! Nous devons donc tenir le rythme d'une vingtaine de kilomètres par jour. Serai-je à la hauteur de ce défi ? J'avoue que je n'en sais rien !

Pour l'heure, nous nous apprêtons à longer la Manche et ses immenses plages… Et nous ne sommes pas seuls : des gens qui ont entendu parler de notre voyage sont venus nous accompagner pour les premiers kilomètres. L'ambiance est donc très joyeuse.

Mais à peine avons-nous démarré qu'il nous faut prévoir où nous dormirons cette nuit. Car notre principe, c'est de dormir chez l'habitant pour découvrir la France et les Français.

Ce soir, nous serons accueillis par Martine et André, qui habitent à **Malo-les-Bains**. Grâce à eux, nous faisons notre première dégustation de maroilles, l'un des plus fameux fromages de la région, qui a pour particularité de sentir très fort !

14 août
BAIN DE SOLEIL
DANS LE PORT INDUSTRIEL

Nos douze premiers kilomètres se font dans le sable, le long des dunes. Puis nous arrivons à **Dunkerque**, la première grande ville de notre itinéraire. Au Moyen Âge, Dunkerque était un petit bourg créé par des pêcheurs. Sous Louis XIV, elle est devenue le plus grand port de guerre du royaume grâce aux fortifications de Vauban, célèbre architecte militaire qui a édifié plus d'une centaine de places fortes dans toute la France. Aujourd'hui, son port industriel fait de Dunkerque l'une des villes les plus importantes du Nord-Pas-de-Calais.

Mais pour nous, Dunkerque est un véritable dédale, dans lequel nous croisons plus de porte-conteneurs que de promeneurs ! Quand tout à coup, nous tombons nez à nez avec trois femmes en train de bronzer. Pourquoi se sont-elles installées sur ce port, alors que les plages du Nord sont parmi les plus belles de France ? « Parce qu'ici, nous disent-elles, il n'y a personne pour nous déranger ! »

15 août
LA BÉNÉDICTION
DES BATEAUX

En traversant **Gravelines** et son charmant petit port, nous sommes surpris par l'air de fête qui y règne. Dans les canaux, des dizaines de bateaux, barques ou immenses voiliers, naviguent vers la mer. Plus loin, nous apercevons un navire à l'effigie de la Vierge Marie, puis un prêtre faisant des signes de croix devant chaque bateau.

« La Vierge protège bateaux et marins, nous explique alors une dame. Autrefois, le prêtre venait régulièrement bénir les navires avant qu'ils ne partent sur les flots. Aujourd'hui, tous les 15 août, nous perpétuons la tradition, en souvenir des marins disparus en mer. »

〰 16 août 〰
ALLER EN ANGLETERRE...
OUI, MAIS À LA NAGE !

Après les plages immenses, nous retrouvons de grandes villes comme **Boulogne-sur-Mer** et **Calais**, d'où l'on peut distinguer les côtes anglaises et d'où part le tunnel sous la Manche qui relie la France à l'Angleterre. On nous a raconté qu'ici certaines personnes traversaient la Manche non pas en utilisant le tunnel ou le ferry, mais à la nage ou sur un radeau de leur fabrication !

═ 17 août ═
RENCONTRE
AVEC DES PHOQUES !

Sur la côte d'Opale, Laurent et moi avons un énorme coup de cœur pour le **cap Blanc-Nez** et le **cap Gris-Nez**. Nous admirons les falaises, les plages de galets ou de sable fin, et... des phoques qui dansent dans les vagues ! Cette côte, encore sauvage, est très préservée.

〰 19 août 〰
L'HOMME QUI SIFFLAIT
AVEC LES OISEAUX

C'est avec Philippe, passionné d'ornithologie, que nous traversons le **parc du Marquenterre**, une réserve naturelle créée en 1973 dans la baie de Somme. Son nom vient du latin *mare in terra*, qui signifie la mer dans les terres. Avec nos jumelles, nous observons les oiseaux migrateurs venus se reposer au cours de leur long voyage vers les pays chauds. Soudain, on entend un sifflement tout près de nous. Ça y est, Philippe a repéré où se cachait l'oiseau ! Lentement, il s'approche, pose ses mains autour de ses lèvres, puis se met à siffler. Et l'oiseau lui répond ! À notre retour, nous apprenons qu'un oiseau a été blessé par un coup de carabine. Heureusement, son aile n'est pas cassée. Il s'en sortira ! Toutefois, Philippe reste très vigilant quand la chasse est ouverte.

20 août
LE PISSE-EN-L'AIR

La **baie de Somme** est la plus grande baie du Nord. C'est un endroit privilégié pour observer les animaux et découvrir la diversité de la végétation. Aujourd'hui, notre guide, c'est Emmanuel. Tout en marchant, il cherche des crabes, des crevettes ou des coquillages à nous montrer. Quand un trou dans le sable retient son attention… Il se met à creuser rapidement avec les mains.

«Je l'ai! lance-t-il en extirpant un gros coquillage à la forme étrange. Son nom savant, c'est *Mya arenaria*… Mais ici, on l'appelle le pisse-en-l'air!»

21 août
ON A TESTÉ
LA RANDO DANS L'EAU !

Voilà déjà huit jours que nous sommes partis. Nous avons parcouru près de 200 km et nous commençons à ressentir intensément les douleurs liées à l'effort physique et au poids de nos sacs à dos: ampoules, muscles qui tirent, pieds qui flambent… Il faut prendre le rythme! En chemin, nous croisons régulièrement des groupes de promeneurs, mais aujourd'hui nous découvrons que les gens du Nord aiment tellement marcher qu'ils pratiquent aussi le longe-côte: de la rando dans l'eau! Vêtus de combinaison, ils marchent en file indienne dans la mer, de l'eau jusqu'à la poitrine. Vivifiant!

22 août

SAVOIR SE REPÉRER

Lorsque nous suivons le sentier de Grande Randonnée (le GR), il nous est très facile de nous repérer grâce au marquage spécifique : une ligne blanche et une ligne rouge. Mais pour nous déplacer sans nous perdre, nous nous reportons bien sûr à une carte détaillée de la région, qui indique tous les lieux remarquables. Toutefois, il arrive que la carte ne suffise pas ! Pour avoir un itinéraire plus précis, nous utilisons alors un GPS tactile : grâce à ce système de localisation par satellite, nous pouvons nous situer exactement sur le sentier et voir notre progression.

250 km

Depuis le départ :

11 jours de marche

250 km parcourus

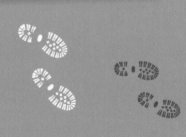

NOTRE DÉCOUVERTE du Nord

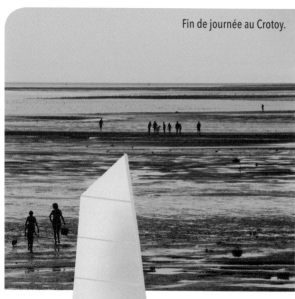

Fin de journée au Crotoy.

Récolte de la pêche aux crevettes.

Vers le cap Gris-Nez.

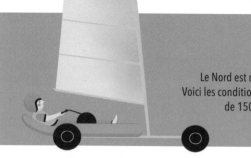

Course de vitesse

Le Nord est réputé pour ses longues plages de sable et son vent qui souffle fort… Voici les conditions parfaites pour faire du char à voile ! On peut atteindre des vitesses de 150 km/h, mais attention, exceller en char à voile, ce n'est pas si simple ! Il faut savoir bien orienter sa voile par rapport au vent.

Les dunes du Nord sont protégées par le Conservatoire du littoral.

Les quilles en l'air

À Équihen-Plage, entre Boulogne-sur-Mer et Le Touquet, des quilles de bateau retournées se sont transformées en habitations pouvant accueillir des familles entières ! On les appelle les « quilles en l'air ». Cette pratique est en fait très ancienne : jusqu'au XXᵉ siècle, les bateaux de pêche venaient s'échouer à chaque marée sur la plage. Les familles les plus démunies retournaient alors les coques de ces bateaux, les recouvraient de goudron pour protéger le bois des intempéries, puis les aménageaient avec tout le nécessaire.

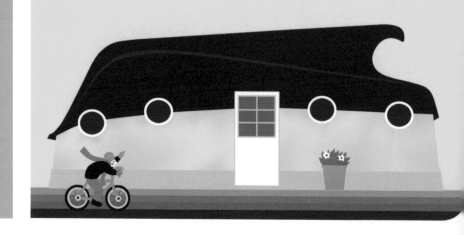

Le plus grand cerf-volant du monde

Depuis 1987, a lieu sur la plage de Berck le Festival international du cerf-volant. Chaque année, il réunit des milliers de passionnés, qui ont pu voir voler le plus grand cerf-volant du monde : 40 mètres de long, 25 mètres de large et 180 kg !

Les longues plages du Nord accueillent des milliers d'oiseaux, dont certains viennent pour hiverner.

Les cabines de plage d'hier à aujourd'hui

Le long des plages du Nord s'alignent des dizaines de petites cabines de plage colorées. Aujourd'hui, on les utilise pour déposer son matériel de plage, son pique-nique ou pour s'y reposer.
Mais au début du xxᵉ siècle, ces cabines de plage étaient des chalets roulants que des chevaux tiraient jusqu'au ras des vagues. Les femmes pouvaient ainsi se changer, puis entrer directement dans l'eau sans s'exposer aux regards.

À Gravelines, les bateaux, qui viennent d'être bénis par le prêtre, partent en mer.

Orné d'une spirale noire, qui lui vaut le surnom de *"Black and White"*, le phare de Gravelines ne ressemble à aucun autre !

La baie de Somme

À bord d'un avion, nous découvrons la baie de Somme vue du ciel… Magique !

Guidés par Emmanuel, nous avons traversé à pied la **baie de Somme** et découvert le **parc du Marquenterre**, qui abrite une formidable réserve ornithologique. Ici, la vie se cache partout : sous l'eau, dans le sable, entre les plantes… C'est un véritable terrain de jeu ! La baie de Somme appartient au club des plus belles baies du monde, au même titre que la baie du Mont-Saint-Michel ou la baie d'Halong au Vietnam !

Le cheval Henson

C'est le cheval de la baie de Somme. Petit et costaud, il vit dehors toute l'année.

Pas besoin d'aller jusqu'au pôle Nord pour voir des phoques ! La plus grande colonie de phoques veaux marins française s'est installée dans la baie de Somme.

La mouette
On la distingue du goéland grâce à son bec et à ses pattes rouges.

Le canard colvert
Ces oiseaux migrateurs sont de moins en moins nombreux à partir hiverner dans les pays du sud.

La sarcelle d'hiver
Un tout petit canard.

La spatule blanche
Ce grand échassier appartient à la même famille que les cigognes.

Le canard siffleur
Ce canard émet un cri très harmonieux.

Le héron cendré
Ce majestueux oiseau peut rester immobile pendant des heures.

La vache des Highlands
Venue d'Écosse, elle est parfaitement adaptée au terrain pauvre et humide de cette zone marécageuse.

L'avocette élégante
Elle marche à grands pas ou nage comme un canard.

LES ANIMAUX DU PARC DU MARQUENTERRE

Le maroilles, un fromage affiné pendant 4 mois au goût très prononcé !

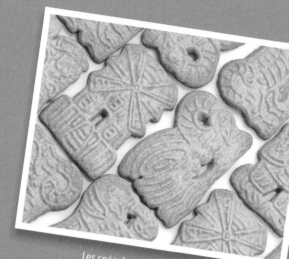
Les spéculoos, que l'on croque à la Saint-Nicolas.

La flamiche au maroilles

Voici la recette de Marc. Elle est tirée d'un livre de cuisine flamande qu'il a réalisé avec ses élèves quand il était instituteur. Chaque élève devait demander à sa grand-mère sa meilleure recette d'une spécialité de la région !

Pour 4 personnes
Préparation : 20 minutes (+ pâte à laisser reposer 1 heure)
Cuisson : 20 minutes

Ingrédients

250 g de maroilles, 250 g de farine,
100 g de beurre, 1 œuf entier + 1 jaune,
20 g de levure, 1 tasse de lait, 2 dl de crème fraîche, 1 cl d'huile,
1 pincée de sel, poivre du moulin.

Préparation

Faire préchauffer le four à 210 °C.
Délayer la levure dans un peu de lait tiède. Mettre le beurre à fondre dans le reste de lait.
Battre les œufs, puis ajouter le mélange beurre/lait, la levure délayée et l'huile.
Bien mélanger avant d'ajouter la farine et le sel. (La pâte obtenue reste très collante.)
Beurrer un moule, étaler la pâte et la laisser lever 1 heure.
Couper le maroilles en lamelles. Les répartir sur la pâte,
puis les napper de crème fraîche. Bien poivrer.
Quand le four est chaud, mettre la tarte à cuire pendant 20 minutes.

Les gaufres du Nord sont parfois fourrées d'une crème vanillée.

Les bêtises de Cambrai, nées d'une erreur de recette, en 1850.

La faluche, le pain traditionnel du Nord.

La Friterie

Les salicornes, les cornichons de la mer.

La baraque à frites où goûter frites-mayonnaise, boulettes et fricadelles.

Le camion à gaufres

Marcher, ça creuse ! Nous sommes bien contents de croiser
régulièrement des camions à gaufres en bord de plage
pour nous offrir un bon goûter ! Ici, c'est une véritable institution !
Et la file d'attente est souvent longue…

La Normandie

CAP DE LA HAGUE

Manche

BARFLEUR

CHERBOURG

SAINT-VAAST-LA-HOUGUE

ÉTRETAT

GUERNESEY

UTAH BEACH

Baie
des Veys

LE HAVRE

La côte
Fleurie

HONFLEUR

MANCHE

OMAHA BEACH

GOLD BEACH

JUNO BEACH

DEAUVILLE

JERSEY

La Vire

ISIGNY-SUR-MER

ARROMANCHES

SWORD BEACH

CABOURG

HOULG

SAINT-LÔ

CAEN

CALVADOS

GRANVILLE

Baie
du Mont-Saint-Michel

BASSE-NORMANDIE

ORNE

LE MONT-SAINT-MICHEL

962 km

BRETAGNE

ALENÇON

PAYS DE LA LOIRE

24 août

ENTRÉE SPORTIVE EN NORMANDIE

C'est en traversant le fleuve la Bresle que nous passons de la Picardie à la Haute-Normandie. Première halte : **Le Tréport**. Nous parcourons son front de mer plein de vie et atteignons les escaliers qui mènent au sommet des falaises. Gravir des centaines et des centaines de marches ne nous fait pas peur ! Mais lorsque nous arrivons en haut tout essoufflés et dégoulinant de sueur, une vieille dame nous interpelle en riant : « Eh bien, jeunes randonneurs, vous en avez du courage d'avoir tout monté à pied ! Vous auriez pu prendre le funiculaire ! » Eh oui, depuis 1908, un funiculaire relie la partie basse de la ville à la « Terrasse », comme disent les Tréportais. Encore fallait-il le savoir !

Nous longeons ensuite d'impressionnantes falaises jusqu'à **Dieppe**, la ville aux quatre ports, car en plus de ses ports de pêche, de plaisance et de commerce, elle est reliée au port anglais de Newhaven. Ce jour-là, nous sommes accueillis par une liesse incroyable due à l'arrivée d'une célèbre course de bateaux en solitaire. Partis il y a trois semaines de Perros-Guirec (en Bretagne), les navigateurs ont parcouru près de 1695 miles nautiques (l'équivalent de 3 000 km) ! Un sacré défi !

Le Tréport.

28 août

LES TRÉSORS D'ÉTRETAT

Enfin, nous arrivons à **Étretat**! La blancheur des falaises de craie, le bleu de la mer et le vert des champs composent un tableau saisissant dont on ne peut se lasser. La réputation de ces falaises tient surtout à la magnifique arche et à l'aiguille, haute de 70 mètres, qui ont été façonnées par l'érosion. Elles ont inspiré de nombreux peintres et écrivains : de Claude Monet à Maupassant, en passant par Maurice Leblanc, le père d'Arsène Lupin. *L'Aiguille creuse*, l'une des aventures du célèbre gentleman cambrioleur, prétend que le trésor des rois de France serait caché à l'intérieur de l'aiguille…

30 août

LE ROI DU BÉTON !

Après avoir traversé toute sa zone portuaire, nous découvrons **Le Havre** et son étonnante architecture moderne. Pendant la Seconde Guerre mondiale, Le Havre a en effet été la cible de nombreux bombardements, si bien que le centre-ville a dû être totalement reconstruit.
Mais plutôt que de lui redonner son aspect d'origine, l'architecte Auguste Perret, surnommé le roi du béton, a voulu créer une ville neuve, symbole du renouveau de la France.
Aujourd'hui, le centre-ville du Havre est inscrit sur la liste du patrimoine mondial de l'Humanité de l'Unesco.

1er septembre

DES POMMES, DES VILLAS...
ET DES STARS ?

À la sortie du Havre, nous traversons la Seine par le pont de Normandie, qui nous conduit à Honfleur. Nous entrons dans le département du Calvados, le pays des pommes. Ici, on les déguste sous toutes les formes : cidre, confiture, tartes… Nous entamons un itinéraire plein de charme : celui des stations balnéaires. Nous découvrons d'abord **Honfleur**, réputée pour son vieux port pittoresque et ses galeries d'art. Puis nous longeons **Deauville**, ses hôtels luxueux, son casino et ses «Planches», sa célèbre promenade qui borde la plage. Nous comprenons pourquoi elle attire tant de célébrités, mais nous n'en croiserons aucune ! Viennent ensuite **Houlgate** et **Cabourg** avec leurs belles villas, qui ont parfois l'allure de vrais petits châteaux.

Honfleur.

3 septembre

SUR LES PLAGES DU DÉBARQUEMENT

Nous entrons dans la région des «plages du débarquement», où a eu lieu la bataille de Normandie pendant la Seconde Guerre mondiale. La région garde de nombreuses traces de ce passé : des blockhaus sur les plages, des reconstitutions de canons ou de camions de l'armée, des mémoriaux et bien sûr le célèbre cimetière américain aux milliers de croix blanches qui surplombe la mer à Colleville. Aujourd'hui, ces immenses plages sont si paisibles qu'il est difficile d'imaginer que des soldats s'y sont battus et y sont morts pour libérer notre pays. Mais sur près de 200 km, l'intensité historique de cette région va nous accompagner et nous rappeler combien la liberté est un droit fragile.

9 septembre

PERDUS DANS LES CHAMPS DE MAÏS

Après *Omaha Beach*, nous retrouvons des plages de galets, comme du côté d'Étretat, si bien que nous préférons grimper jusqu'au sommet de la falaise pour suivre le sentier. Mais soudain le GR disparaît complètement, avalé par l'érosion des falaises ! Voilà comment nous nous retrouvons à arpenter des champs de betteraves et de maïs. Nous disparaissons parmi des tiges de plus de 2 mètres de haut ! Bref, nous faisons des détours incroyables et subissons les conséquences de l'usure du littoral face à la mer…

11 septembre

ON EST LENTS !

Nous entrons dans le pays du Cotentin par la **baie des Veys**, qui fait le bonheur des ostréiculteurs et des amateurs de pêche à pied. Mais pour nous, c'est un coup dur : très vite, nous comprenons qu'il nous faut contourner la baie pour rejoindre le pont d'**Isigny-sur-Mer**, soit un détour de 45 km ! Heureusement, à l'arrivée, nous sommes récompensés de nos efforts : les fameux caramels au beurre salé d'Isigny sont un délice. Et nous ne nous faisons pas prier pour goûter aux autres spécialités de la ville : son beurre, sa crème et ses fromages, comme le camembert ou le pont-l'évêque. Notre marche se termine en une formidable dégustation. Au final, nos estomacs nous disent merci !

19 septembre

LA MANCHE VUE D'EN HAUT

Sur la **pointe de Barfleur**, nous nous retrouvons au pied de l'imposant phare de Gatteville, le deuxième plus haut d'Europe (après le phare de l'île Vierge) ! Bien évidemment, nous ne manquons pas l'occasion de grimper tout en haut de ses 75 mètres pour profiter de la vue imprenable sur la Manche.

～～ 24 septembre ～～

LA SURPRENANTE BOTTE DU COTENTIN

Au bout de la « botte du Cotentin », nous arrivons au **cap de La Hague**. Tout est très vert, des moutons broutent dans des champs entourés de clôtures en pierres, et dans les petits villages, le temps semble s'être arrêté. Nous avons le sentiment d'être en Irlande ! Comme l'a fait le poète Jacques Prévert, on se verrait bien passer les dernières années de notre vie ici ! Quand tout à coup surgit sous nos yeux l'usine de retraitement de déchets nucléaires de La Hague. Entre cette nature sauvage très préservée et ce concentré de haute technologie, le contraste est saisissant…

6 octobre

LA SUBLIME BAIE
DU MONT-SAINT-MICHEL

Nous y voici, face à la baie du **Mont-Saint-Michel** ! Mais si on ne la connaît pas bien, cette baie peut se révéler très dangereuse. Il n'est pas rare que la marée haute ou des sables mouvants surprennent les marcheurs. C'est donc avec un guide que nous entreprenons sa traversée. Tout au long de notre balade, le temps et les couleurs changent, passant du gris au rose. Nos pieds s'enfoncent dans le sable, nous franchissons des cours d'eau froide, le vent claque à nos oreilles… Et au rythme de notre progression, le mont grandit, grandit… C'est une expérience unique !

962 km

Depuis le départ :

57 jours de marche

962 km parcourus

Le port de Dieppe.

Le phare du Tréport.

Les stations balnéaires

C'est à Dieppe, plage la plus proche de Paris, qu'est née, au début du XIXᵉ siècle, la mode des bains de mer. Jusqu'alors les bords de mer étaient essentiellement dédiés à la pêche et non au loisir. Mais très vite, les Parisiens les plus chic vont se laisser séduire par cette nouvelle pratique. Puis, avec l'apparition des premières lignes de chemin de fer, les vacanciers vont être de plus en plus nombreux à profiter des bienfaits de l'air marin. Le «Paris-Dieppe» est même surnommé le «train du plaisir». Deauville, Honfleur, Cabourg, Étretat devinrent à leur tour des stations balnéaires très en vogue.

Sur les planches de Deauville.

STEVEN SPIELBERG

Les façades colorées du Tréport.

À tous crins !

Deauville est connue pour son festival du film américain, mais aussi pour son hippodrome, qui est si fleuri qu'on le surnomme «l'hippodrome aux mille fleurs». Au petit matin, sur la plage, il n'est pas rare de croiser des jockeys qui entraînent leurs chevaux.

Tourelles, balcons, toits pentus, ici les villas rivalisent d'originalité !

Les falaises d'Étretat, dont l'arche et l'aiguille font la renommée.

Les falaises de Varengeville-sur-Mer, le long de la côte d'Albâtre.

Sur les hauteurs de Port-en-Bessin, dans le Calvados.

Sur le sentier des Douaniers, dans le Cotentin.

Tatihou, l'île aux 4 destins

Juste en face du port de Saint-Vaast-la-Hougue, dans le nord-est du Cotentin, se trouve l'île de Tatihou. Cette petite île de 29 m² a eu une singulière destinée : à la fin du XVIIᵉ siècle, on y édifie la tour de Tatihou pour mieux défendre la baie contre les navires ennemis. Puis, lorsque la peste fait des ravages en 1721, elle devient un lieu de mise en quarantaine pour les marins.
Au milieu du XXᵉ siècle, elle accueille des adolescents rebelles.
Et aujourd'hui, c'est une réserve ornithologique,
où l'on peut observer plus de 150 espèces d'oiseaux différentes.

Les cabines de plage
de Barneville-Carteret, dans le Cotentin.

Vue sur le fort de la Hougue.

La petite crique de Saint-Germain-des-Vaux,
à l'extrémité de la pointe de La Hague.

ZOOM SUR LES PLAGES *du débarquement*

Le long d'*Utah Beach*, l'une des cinq plages du débarquement.

Le débarquement du 6 juin 1944, sur la plage d'*Omaha Beach*.

Overlord

Parce qu'elles étaient moins bien défendues par les Allemands, cinq plages situées entre Ouistreham et Cherbourg ont été le théâtre du débarquement des Alliés le 6 juin 1944. L'opération avait pour nom de code : « *Overlord* » (« Chef suprême »). Deux zones ont été délimitées : d'un côté, les plages de *Sword Beach*, *Juno Beach* et *Gold Beach*, affectées aux soldats anglo-canadiens, de l'autre, les plages d'*Utah Beach* et d'*Omaha Beach*, confiées aux soldats américains.

Le *Pegasus Bridge*, le jour du débarquement.

Pegasus Bridge

Entre Ranville et Bénouville (à quelques kilomètres d'Étretat), pour traverser le canal de Caen, on passe par un pont levant au nom étrange : le *Pegasus Bridge*. Pendant la Seconde Guerre mondiale, Bénouville fut la première ville, où les Alliés ont débarqué et le pont fut le premier à être libéré. Il est donc devenu un symbole très important du débarquement du 6 juin 1944 et a été renommé *Pegasus Bridge* en l'honneur des parachutistes britanniques qui avaient pour emblème le cheval ailé Pégase.

La maison au drapeau canadien

En bordure de la plage de Bernières-sur-Mer, à 20 km de Bénouville, on ne peut pas manquer un immense drapeau canadien qui flotte au vent : il signale la première maison à avoir été libérée par les troupes canadiennes.

Les vestiges du pont d'Arromanches.

Le cimetière américain

À Colleville-sur-Mer, en surplomb d'*Omaha Beach*, se trouve le cimetière américain, où sont enterrés plus de 9 000 soldats américains, morts lors du débarquement ou dans les semaines qui ont suivi.

Le pont artificiel d'Arromanches

Dans la jolie baie d'Arromanches, à une quinzaine de kilomètres de Bernières-sur-Mer, on aperçoit d'énormes blocs de béton qui surgissent de la mer ! Ce sont les vestiges du port artificiel qui a été construit au lendemain du débarquement, pour permettre le ravitaillement des troupes alliées en territoire occupé.

Le Mont-Saint-Michel

La création du Mont-Saint-Michel daterait du début du VIIIe siècle. D'après la légende, l'archange saint Michel serait apparu trois fois à l'évêque d'Avranches pour lui demander de construire une église en son honneur. D'abord dubitatif, l'évêque aurait finalement obéi et fait bâtir une abbaye sur ce qui n'était alors que le mont Tombe. Très vite, les premiers pèlerins ont afflué, et un village s'est développé pour les accueillir. C'est au XIIIe siècle qu'a ensuite été édifiée «La Merveille»: un magnifique ensemble de bâtiments de style gothique, qui abrite un cloître et où vit encore aujourd'hui une communauté de moines.

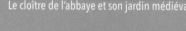

L'auberge de la Mère Poulard est réputée pour ses omelettes cuites au feu de bois. Elle proposait déjà cette spécialité très rapide à réaliser aux tout premiers pèlerins.

Le cloître de l'abbaye et son jardin médiéval.

L'unique rue du Mont est bordée de maisons aux façades moyenâgeuses.

Vue sur la baie du Mont-Saint-Michel.

Il est préférable de traverser la baie avec un guide.

Le gorge-bleue à miroir

se nourrit surtout d'insectes
et court comme une souris.

L'huîtrier pie

est un bel échassier au cri
très identifiable : klip, klip, klip !

Le phoque veau marin

Une colonie a élu domicile dans la baie.
Attention à ne pas les effrayer !

La bernache nonnette

est une petite oie que l'on reconnaît
à sa poitrine et à son cou tout noirs.

Les dauphins

Les plus chanceux pourront
apercevoir des dauphins, qui sont
plus de 600 à vivre dans la baie !

La pêche à pied

Pendant les grandes marées,
on vient ramasser coques, palourdes,
huîtres ou moules.

On peut entreprendre la traversée de la baie à pied ou à cheval...

Les moutons de pré-salé

On croise les moutons du Mont-Saint-Michel dans les prés salés,
ces grandes étendues entièrement recouvertes par la mer
lors des grandes marées.

DANS LA BAIE DU MONT-SAINT-MICHEL

QUE FAIRE AVANT DE PARTIR ?

PETITS CONSEILS
AVANT DE PRENDRE LA ROUTE

- Il ne faut jamais partir seul en randonnée. Si un problème survient, quelqu'un doit pouvoir appeler les secours.
- Avant de prendre la route, donne ton itinéraire à quelqu'un de ton entourage. En chemin, donne-lui régulièrement de tes nouvelles pour qu'il puisse suivre ta trajectoire.
- Vérifie la météo ! Le temps change très vite, surtout en montagne.

COMMENT BIEN CHOISIR TES CHAUSSURES ?

Selon le terrain, on n'utilise pas les mêmes chaussures !
En montagne, il est préférable de choisir des chaussures montantes qui maintiendront tes chevilles et éviteront les entorses.
Sur un chemin plat, des chaussures de trail, souples et légères, seront parfaites.
Mais la première qualité d'une paire de chaussures, c'est son confort !
Voici nos conseils :

- Essaye tes chaussures en fin de journée, quand tes pieds ont gonflé (en randonnée, ils seront sûrement encore plus gonflés !).
- Tu ne dois sentir ni couture ni point gênant (c'est là que se formeront les ampoules !) et la semelle intérieure doit être épaisse.
- Avant de partir en randonnée, porte tes chaussures sur de petits trajets pour qu'elles soient moins rigides.

COMMENT BIEN CHOISIR TON SAC À DOS ?

Pour éviter le mal de dos, choisis un sac confortable et bien adapté. Un bon sac à dos est équipé de bretelles réglables et d'une ceinture ventrale (que tu devras régler avec soin), de poches externes et d'une protection anti-pluie.
Pour ne pas être trop chargé, veille à ce que la charge maximum de ton sac ne dépasse pas 20 % de ton poids.

COMMENT BIEN ORGANISER TON SAC À DOS ?

Il est important de bien organiser ton sac pour éviter les problèmes de dos et trouver les choses facilement.
Au fond du sac, en contact avec le côté «dos», place les objets les plus lourds, ainsi que ton sac de couchage et tes vêtements de rechange. Au sommet du sac (côté «extérieur» du sac), range les objets les plus légers, ainsi que ton vêtement de pluie et ton pull, qui seront ainsi très accessibles. Dans les poches extérieures, range les choses que tu dois trouver facilement (carte, lampe torche, gourde, en-cas, chapeau, crème solaire, lunettes de soleil…)

INCOLLABLE SUR...

le Nord

1. Quelle est la ville la plus au nord de la France ?
a) Lille.
b) Bray-Dunes.
c) Dunkerque.

2. Quelle vitesse peut atteindre un char à voile ?
a) 70 km/h.
b) 100 km/h.
c) 150 km/h.

3. Qu'appelle-t-on «quille en l'air» ?
a) Un jeu de quilles ch'ti.
b) Une quille de bateau retournée servant de maison.
c) Un bateau qui a fait naufrage.

4. Comment s'appelle le petit pain typique du Nord ?
a) Un cramique.
b) Une flamiche.
c) Une faluche.

5. Où peut-on croiser des phoques dans le Nord ?
a) Dans la baie de Somme.
b) Au cap Blanc-Nez.
c) Dans le port de Gravelines.

6. Qu'est-ce que le longe-côte ?
a) Une course de bateaux.
b) Une randonnée dans l'eau.
c) Une compétition de chars à voile.

7. Qu'est-ce qu'un pisse-en-l'air ?
a) Un coquillage.
b) Un oiseau.
c) Un poisson.

la Normandie

1. Quel est le fruit emblématique du Calvados ?
a) La pomme.
b) La poire.
c) La prune.

2. Dans quelle ville a été lancée la mode des bains de mer ?
a) Le Touquet-Paris-Plage.
b) Deauville.
c) Dieppe.

3. Quels animaux peut-on croiser dans la baie du Mont-Saint-Michel ?
a) Des phoques.
b) Des moutons.
c) Des dauphins.

4. Comment s'appelle la célèbre promenade en bord de plage de Deauville ?
a) Les Élégantes.
b) Les Planches.
c) Les Embruns.

5. Sur combien de plage(s) normande(s) a eu lieu le débarquement du 6 juin 1944 ?
a) 1.
b) 3.
c) 5.

6. Quelle spécialité faut-il goûter à Isigny-sur-Mer ?
a) De l'andouille.
b) Du feuilleté aux pommes.
c) Des caramels au beurre salé.

7. Quelle est la hauteur de l'aiguille d'Étretat ?
a) 20 mètres.
b) 70 mètres.
c) 100 mètres.

Solutions, p. 140.

La Bretagne

Les Tonnerres de Brest

La côte des Légendes

La côte de Granit rose

Archipel des 7 îles

PERROS-GUIREC

PAIMPOL

ROSCOFF

Baie de Morlaix

TRÉBEURDEN

PLOUHA

MORLAIX

GUINGAMP

En-avant de Guingamp

SAINT-BRIE

ÎLE D'OUESSANT

BREST

FINISTÈRE

CÔTES-D'ARMOR

PRESQU'ÎLE DE CROZON

Mer d'Iroise

CAP DE LA CHÈVRE

DOUARNENEZ

ÎLE DE SEIN

POINTE DU RAZ

QUIMPER

BRETAGNE

Festival interceltique de Lorient

POINTE DE LA TORCHE

CONCARNEAU

MORBIHAN

Baie de Concarneau

Galettes de Pont-Aven

LORIENT

Océan Atlantique

ÎLE DE GROIX

Ria d'Etel

LA TRINITÉ-SUR-MER

VANN

CARNAC

Golfe du Morbi

QUIBERON

Baie de Quiberon

BELLE-ÎLE-EN-MER

Manche

Baie
nt-Brieuc

Baie
du Mont-Saint-Michel

CAP FRÉHEL   SAINT-MALO

BASSE-NORMANDIE

LE MONT-SAINT-MICHEL

Fort-la-Latte

PAYS DE LA LOIRE

ILLE-ET-VILAINE

◉ RENNES

Forêt
de Brocéliande

2 059 km

～ 9 octobre ～

RENDEZ-VOUS
DANS LA CITÉ CORSAIRE

C'est par la digue de la duchesse Anne que nous quittons le Mont-Saint-Michel pour nous diriger vers **Saint-Malo**. La célèbre cité corsaire s'abrite derrière des fortifications construites au XIIᵉ siècle qui la protègent des assauts des navires ennemis. Nous faisons le tour des remparts, et suivons le chemin de ronde pour découvrir les mâchicoulis et les tours de guet. D'ici, la vue est imprenable sur toute la baie, où les marées sont parmi les plus importantes d'Europe.

Aujourd'hui, nous allons faire une visite pas comme les autres : c'est avec les pompiers-plongeurs de Saint-Malo que nous avons rendez-vous pour participer à un exercice de sauvetage en mer… Nous enfilons une combinaison de plongée, grimpons dans leur camion (la chance !), puis embarquons dans un zodiac. Direction la pleine mer ! L'exercice commence… et ne dure que quelques secondes. Nous sommes soufflés !

17 octobre

ON A MARCHÉ AU FOND DE LA MER !

Nous quittons Saint-Malo pour rejoindre le magnifique **cap Fréhel**, une pointe de grès rose qui fait face à l'île anglo-normande de Jersey. Nous suivons le sentier qui se dessine entre les bruyères. En bas, les vagues viennent se fendre sur l'immense falaise. Nous passons près du Fort-la-Latte, l'un des plus célèbres châteaux de Bretagne : sa situation extraordinaire lui vaut d'être le décor de nombreux films ! Puis nous atteignons la **baie de Saint-Brieuc** juste au moment où la marée descend et décidons d'entreprendre sa traversée à pied. Une course contre la montre avec la mer commence ! Arrivés au beau milieu de la baie, nous nous retrouvons entourés d'immenses bouchots, où s'activent des mytiliculteurs venus récolter les moules. « Tu te rends compte, on marche au fond de la mer ! me dit Laurent. Dans quelques heures, il y aura 10 mètres d'eau à l'endroit où nous sommes… »

25 octobre

VOUS REPRENDREZ BIEN UN PEU DE SEL ?

Intrigués, nous observons un groupe d'hommes et de femmes qui avancent, pieds dans l'eau et dos courbé, une salière à la main.
« On pêche les couteaux ! nous explique une dame. Dès qu'on a repéré les trous qu'ils font dans le sable, on les saupoudre de sel. Le couteau croit que c'est marée haute, il sort et hop, on l'attrape ! C'est la meilleure technique qui soit ! »
Son fils vient justement d'en attraper un qu'il brandit fièrement.
« C'est caoutchouteux et ça n'a pas beaucoup de goût, mais ce qui est drôle, c'est de les pêcher ! »

30 octobre
MOLLETS MUSCLÉS !

Nous venons de longer la magnifique **côte de Granit rose**, avec ses étonnants chaos de rochers roses et ses plages de sable blanc. On peut dire que la Bretagne est à la hauteur de sa réputation : magnifique, sauvage, envoûtante… mais elle est aussi éprouvante pour le randonneur ! Nous voici au pied des falaises de **Plouha**. Hautes de 104 mètres, elles sont réputées pour être les plus élevées de Bretagne. Pour passer d'une falaise à l'autre, les Bretons ont aménagé des escaliers… que nous allons devoir gravir d'un côté et redescendre de l'autre pour poursuivre notre route. Un parcours musclé !

15 novembre
UN PAYS À L'INTÉRIEUR DU PAYS

En Bretagne, nous avons l'impression d'être dans «un pays à l'intérieur du pays». Les Bretons parlent breton. Ils ont une station de radio et une chaîne de télévision spéciales. Ils ont même des écoles bilingues français-breton, appelées Diwan. En Bretagne, toutes les villes (ou presque) commencent par «plou», qui signifie «paroisse» en breton : Plougasnou, Plougastel… Dans la seule région du Finistère, nous en avons compté 33 ! À l'entrée des villes, il n'y a pas un mais deux panneaux avec le nom de la commune : le nom français et le nom breton ! Enfin, les Bretons adorent les crêpes et le cidre. Chaque matin, nous repartons avec un kilo de crêpes dans notre sac à dos… Mmm, vivement le goûter !
«Kenavo» ! C'est ainsi qu'on se dit au revoir en Bretagne.

18 novembre

VERS LA CÔTE DES LÉGENDES

Depuis quelques jours, nous arpentons la **côte des Légendes**, aussi surnommée la côte des naufrageurs. François nous explique qu'aux XVe et XVIe siècles, le «droit de naufrage» autorisait tout un chacun à s'approprier les cargaisons des navires échoués. Mais certains paysans poussaient la pratique bien plus loin… Lorsque la nuit était noire, ils s'approchaient des falaises avec leurs taureaux et accrochaient des torches à leurs cornes. Prenant ces lumières pour celles d'un phare, les capitaines mettaient le cap dans cette direction, et, immanquablement, le navire venait se briser contre les rochers… Les paysans n'avaient plus qu'à aller récupérer le butin !

19 novembre

NOTRE PREMIER FEST-NOZ !

«Ce soir, nous allons au fest-noz du village!» nous annonce Marie-Hélène. Le fest-noz, c'est une fête bretonne qui célébrait autrefois la fin des moissons. Aujourd'hui, c'est la sortie familiale du samedi soir : parents, enfants, ados et grands-parents s'y retrouvent dans une ambiance bon enfant et chacun entre dans la danse au rythme de l'accordéon et du biniou !

Pointe du Raz.

24 novembre

LÀ OÙ SE FINIT LA TERRE

Après la **presqu'île de Crozon**, qui offre un panorama à couper le souffle, nous avançons jusqu'au **cap de la Chèvre**, où passait le Mur de l'Atlantique, des fortifications construites le long des côtes par les Allemands pendant la Seconde Guerre mondiale. Puis nous découvrons le port de **Douarnenez**, réputé pour ses jolies maisons colorées, sa pêche à la sardine et son kouign-amann. Ce gâteau aurait été créé vers 1860, à une époque où la farine faisait défaut, d'où l'idée d'un boulanger de mettre au point une recette utilisant plus de beurre que de farine! Au coucher du soleil, nous atteignons la **pointe du Raz** et son point de vue spectaculaire. Mais c'est aussi un lieu très dangereux: le vent y souffle avec une force incroyable et la mer se déchaîne contre les rochers. Les noms environnants sont là pour en témoigner: «Notre-Dame des naufragés», «l'Enfer de Plogoff» ou encore «la baie des Trépassés»… Brrr, ça nous donne la chair de poule!

25 novembre

PASSION BINIOU

Un peu plus loin, nous rencontrons Quentin. Ce jeune garçon vient souvent sur la pointe du Raz pour jouer d'un drôle d'instrument… « C'est un biniou, nous dit-il fièrement ! Je joue depuis quatre ans dans un bagadig (groupe de musique traditionnelle bretonne). Mais le must, c'est le festival interceltique de Lorient ! »

1er décembre

SESSION DE SURF !

Depuis que nous sommes en Bretagne, nous rencontrons beaucoup de gens qui travaillent dans le milieu de la mer : pêcheurs, ostréiculteurs, mytiliculteurs, guides en baie… Cette nuit, nous sommes hébergés par une chasseuse d'épaves en mer et par une navigatrice. Elles habitent près de la **pointe de la Torche**, un spot de surf très connu. Alors, ni une ni deux, nous enfilons une combinaison de plongée pour aller faire du surf… un 1er décembre ! Ce n'est pas l'hiver qui arrête les Bretons !

2059 km

14 décembre

KENAVO !

Après une petite halte à **Lorient**, où nous découvrons que le nom de la ville vient de son ancienne vocation à développer le commerce avec l'Orient, nous entamons notre dernière étape en pays breton : la traversée du **golfe du Morbihan** que nous effectuons avec un passeur. Nous apercevons plusieurs de ses innombrables petites îles, mais, en ce mois de décembre, il y a peu d'animation : nul voilier, kayak ou sinago (ces bateaux de pêche à voiles rouges typiques du golfe) à l'horizon ! Pas même un héron cendré ou un goéland !

Depuis le départ :
140 jours de marche
2 059 km parcourus

NOTRE DÉCOUVERTE de la Bretagne

Dans le Finistère, la côte est très découpée. Autrefois, les forts courants entraînaient la perte de nombreux navires…

Les remparts de Saint-Malo.

Qui étaient les corsaires ?

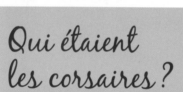

On surnomme Saint-Malo la cité corsaire, car au XVIIIe siècle ses armateurs furent nommés corsaires : ils sillonnaient les mers au nom du roi pour attaquer les navires ennemis. En échange, ils recevaient une partie de la cargaison qu'ils revendaient à prix d'or. Le plus fameux d'entre eux fut Robert Surcouf.

Le sentier des Douaniers a été créé au XVIIIe siècle pour leur permettre de surveiller les contrebandiers venus d'Angleterre.

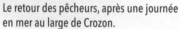

Le retour des pêcheurs, après une journée en mer au large de Crozon.

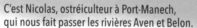

C'est Nicolas, ostréiculteur à Port-Manech, qui nous fait passer les rivières Aven et Belon.

Dans le golfe du Morbihan.

Le château de Costaérès, à Trégastel, est un magnifique manoir, tout en granit rose, qui a été construit à la fin du XIXe siècle sur une petite île.

Castel Meur, «La maison aux rochers», près du gouffre de Plougrescant. Ces deux énormes rochers offrent une excellente protection contre les vents violents !

Le port de Léchiagat, dans le Finistère.

Des enfers au paradis...

Les phares de haute mer sont appelés les «enfers». Les «purgatoires» sont les phares installés sur une île. Les «paradis» désignent les phares situés sur le continent. Les gardiens débutaient leur carrière sur un «enfer», pour la finir dans un «paradis». Aujourd'hui, la majorité des phares sont automatisés. Le dernier gardien de phare français a cessé son activité en juin 2012.

Le phare d'Eckmühl, tout en granit, se trouve à Penmarc'h, dans le Finistère.

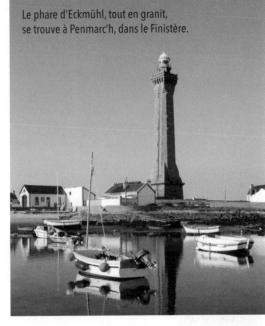

Le site du cap Fréhel se couvre de bruyères roses en été.

Qui sont les Johnnies ?

Au XVIIIe siècle, les paysans bretons cultivent beaucoup d'oignons. C'est l'aliment de base des marins au long cours. Et voilà qu'un cultivateur de Roscoff décide un jour d'aller vendre ses oignons en Angleterre. Il parcourt à bicyclette les routes britanniques et rencontre un franc succès, tant et si bien que des centaines de Roscovites lui emboîtent le pas. Les Anglais les surnomment les «Johnnies», du prénom John qui est l'équivalent de notre Jean.

La côte de Granit rose

Au nord de la Bretagne, en bordure de la Manche, s'étendent les paysages magiques et chaotiques de la côte de Granit rose. Sur le bleu profond de la mer se détachent des roches aux teintes rougeoyantes et aux formes extravagantes. Les plus imaginatifs ne manqueront pas de repérer les « empreintes du diable » ou « la chaise du curé »! C'est le feldspath, l'un des trois minéraux composant ces roches, qui leur donne cette belle couleur. Il n'existe que deux autres côtes de granit rose dans le monde : l'une est en Corse et l'autre en Chine.

PETITS ET GRANDS TRÉSORS *bretons*

~~~

Les costumes traditionnels bretons

Les costumes bretons sont apparus après la Révolution française et ont été portés jusqu'à la Seconde Guerre mondiale. D'un village à l'autre, les broderies et les couleurs étaient différentes.

La bombarde

Un instrument très ancien, dont le nom signifie « bruit sourd ».

Les galettes de Pont-Aven

Pont-Aven, un très joli village du Finistère, a inspiré de nombreux peintres. Mais il est aussi connu pour ses petits sablés au beurre frais !

Le coco de Paimpol

Ces petits haricots secs ne poussent que dans la région de Paimpol.

Un dolmen

Les dolmens, sortes de tables de pierre, étaient probablement des monuments funéraires.

L'artichaut

La Bretagne est le premier producteur français de ce légume fleur.

Les moules marinières

Elles sont cuites au vin blanc avec des échalotes. Une recette bretonne très populaire !

Le biniou

C'est la cornemuse bretonne.
Le joueur de biniou s'appelle un sonneur.

Un crêpier

En Bretagne, c'est sur un billig que l'on fait cuire
les crêpes et les galettes (crêpes de sarrasin).

Le drapeau breton

On l'appelle en breton «Gwenn ha Du»,
qui signifie «blanc et noir».
Le mot breton pour dire «Bretagne»,
c'est «Breizh», souvent abrégé «BZH».

Le cidre fermier breton

Brut ou doux, c'est la boisson de prédilection
pour accompagner les galettes et les crêpes.

Le triskèle

C'est le symbole celte.

Les fraises de Plougastel

Le climat très doux
de la pointe bretonne est propice
à la culture des fruits et légumes.

Un menhir

En breton, «menhir» signifie
«pierre longue».
Ces pierres préhistoriques
ne nous ont pas encore livré
tous leurs secrets.

Une maison bretonne

Les plus typiques sont en pierre, avec des volets bleus
et ornées de magnifiques massifs d'hortensias.

L'Atlantique

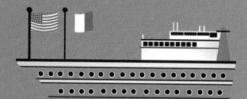

Vers New York

Océan Atlantique

BRETAGNE

du han

PAYS DE LA LOIRE

MAYENNE

SARTHE

La Loire

CENTRE

LOIRE-ATLANTIQUE

MAINE-ET-LOIRE

TOURS

GUÉRANDE

SAINT-NAZAIRE

LA BAULE

NANTES

Château de Chenonceau

VENDÉE

ÎLE DE NOIRMOUTIER

SAINT-GILLES-CROIX-DE-VIE

DEUX-SÈVRES

VIENNE

AUVERGNE

ÎLE D'YEU

La côte de Lumière

POITIERS

LES SABLES D'OLONNE

Futuroscope de Poitiers

Marais poitevin

Fort Boyard

ÎLE DE RÉ

LA ROCHELLE

POITOU-CHARENTES

CLERMONT-FERRAND

ÎLE D'OLÉRON

CHARENTE-MARITIME

CHARENTE

LIMOGES

Phare de Cordouan

Estuaire de la Gironde

ROYAN

LIMOUSIN

Puy de Dôme

SOULAC-SUR-MER

Piste Vélodyssée

DORDOGNE

LACANAU

Bassin d'Arcachon

CAP-FERRET

GIRONDE

LOT-ET-GARONNE

Dune du Pilat

Gorges du Tarn

AQUITAINE

BISCAROSSE

La côte d'Argent

LANDES

MIDI-PYRÉNÉES

La Garonne

HOSSEGOR

TOULOUSE

2 775 km

BIARRITZ

SAINT-JEAN-DE-LUZ

HENDAYE

PAU

Massif des Pyrénées

PYRÉNÉES-ATLANTIQUES

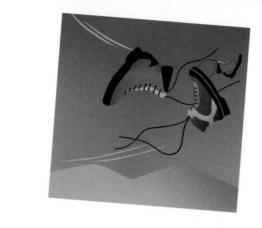

31 décembre

FIN D'ANNÉE
DANS LA TEMPÊTE !

Nous quittons la Bretagne pour entrer dans la région des Pays de la Loire. Non loin de la cité médiévale de **Guérande**, nous longeons ses célèbres marais salants. Pendant l'été, plus de 250 paludiers y récoltent gros sel et fleur de sel, dans le respect d'un savoir-faire traditionnel qui remonte au IXe siècle ! En hiver, il y a moins d'activités dans les salines, mais les jeux de lumière sur l'eau restent magiques. Puis nous atteignons l'immense plage de **La Baule**, qui fait la renommée de cette station balnéaire. C'est à la tombée de la nuit que nous arrivons à **Saint-Nazaire**, où nous devons traverser la Loire… Changer de rive pour la nouvelle année, voilà une image qui nous plaît beaucoup ! Mais le pont de Saint-Nazaire est une voie rapide d'un peu plus de 3 km de long, où les voitures défilent à 70 km/h ! Et ce soir, la pluie et les rafales de vent rendent notre traversée encore plus périlleuse. Sonnés et trempés, nous atteignons enfin l'autre côté du pont et nous tombons dans les bras l'un de l'autre !

Guérande.

3 janvier

RENCONTRE INSOLITE EN VENDÉE

Dès notre entrée en Vendée, le paysage change radicalement : à présent, les plages sont bordées de dunes et de pinèdes, tandis que les maisons aux toits de tuiles plates se font plus basses, pour protéger les habitants des vents forts qui frappent la côte. Après avoir traversé le **marais breton vendéen**, c'est sous un ciel noir que nous longeons la **côte de Lumière**. On peut même dire que la tempête menace. Vite ! Nous cherchons refuge sous les hauts pins maritimes. Quand soudain un violent craquement nous fait sursauter… Nous levons la tête et découvrons un canot de sauvetage perché dans les arbres ! Les pompiers nous apprennent qu'ils le recherchaient activement depuis ce matin : il s'est envolé de l'île d'Yeu, à 25 km de là !

5 janvier

CHEZ UN PASSIONNÉ D'OPTIMIST

Ce soir, nous dormons à **Saint-Gilles-Croix-de-Vie**. Cette petite ville est réputée pour son port, le plus ancien de la côte atlantique, et pour ses sardines (il existe même une confrérie de la sardine !) Notre hôte, c'est Abel, un champion départemental d'optimist. Car en Vendée, la voile est un sport sacré ! C'est d'ailleurs des Sables d'Olonne, où nous passerons demain, que part le Vendée Globe, la célèbre course à la voile en solitaire autour du monde.

6 janvier

AVANCE RAPIDE !

Nous continuons notre descente vers le sud, entre les vagues de l'océan Atlantique et les villes côtières : **Les Sables d'Olonne, La Tranche-sur-Mer, L'Aiguillon-sur-Mer**… Depuis que nous sommes entrés en Vendée, notre progression est très rapide. Quel plaisir de marcher sur ces longues plages rectilignes, sans obstacle ni détour !

19 janvier

LA VENISE VERTE

Mais dans le Poitou-Charentes, notre trajectoire se complique avec la traversée du **marais poitevin**. Surnommé la «Petite Venise verte», cet entrelac de canaux au cœur d'une végétation luxuriante est un havre de paix en été, mais pour nous, c'est une succession d'interminables détours en quête de ponts !

21 janvier

FORT BOYARD EN VUE !

Nous décidons de faire une escale bien méritée à **La Rochelle**. Son vieux-port, ses ruelles à arcades, ses façades moyenâgeuses à pans de bois nous enchantent ! Alors que nous reprenons notre chemin le long de la mer, Aurélie s'écrie tout à coup : «Regarde, c'est le fort Boyard !» Le fort Boyard a une drôle d'histoire : bâti au XIXᵉ siècle, entre l'île d'Aix et l'île d'Oléron, il devait protéger le grand arsenal de Rochefort (où l'on construisait les navires) contre les Anglais. Mais sa construction a été si longue qu'il a servi très peu de temps d'édifice de défense. Rapidement, il a été transformé en prison, avant de devenir le décor du fameux jeu télévisé du même nom.

1ᵉʳ février

GLA GLA

Depuis plusieurs jours, une exceptionnelle vague de froid s'est abattue sur la France. Nous nous habillons le plus chaudement possible et adoptons la «technique de l'oignon» : collant, sous-pull, sous-gants… tout y passe ! C'est par − 5 °C que nous terminons notre escapade en Charente-Maritime. Arrivés à **Royan**, nous prenons le bac pour franchir l'estuaire de la Gironde, le plus grand d'Europe. De l'autre côté, nous nous retrouvons dans la région Aquitaine.

5 février
LA DUNE DU PILAT SOUS LA NEIGE !

À partir de **Soulac-sur-Mer**, nous longeons de nouveau la côte atlantique et ses longues plages de sable fin bordées de dunes et de forêts. Trois jours plus tard, nous ne manquons pas de nous arrêter au **Cap-Ferret**, un charmant village de pêcheurs, où nous dégustons plateau d'huîtres et fondants cannelés, le petit gâteau local. Lorsque nous atteignons le **bassin d'Arcachon**, une incroyable surprise nous attend : la plage est toute blanche ! Même sur la somptueuse dune du Pilat, il y a des plaques de neige, ce qui est extrêmement rare. Nous grimpons bien sûr à son sommet et découvrons un paysage incroyable : on se croirait au milieu du Sahara, mais avec la mer et la forêt en plus !

11 février
LES LANDES À PIED ET À VÉLO...

Nous descendons toujours plus vers le sud, et atteignons le département des Landes, où de nombreuses stations balnéaires, comme **Biscarosse** et **Hossegor**, sont réputées pour leurs spots de surf. Sur cette partie de notre trajectoire, nous empruntons la piste cyclable « Vélodyssée » qui relie Roscoff (en Bretagne) à Hendaye (près de la frontière espagnole), soit un parcours de plus de 1 200 km !

12 février
OU SUR ÉCHASSES !

Depuis que nous avons passé l'**estuaire de la Gironde**, nous suivons la forêt des Landes de Gascogne, la plus grande forêt de France. Pascale nous apprend qu'au XIXᵉ siècle la région était en partie couverte de landes, terre rase où ne poussaient que quelques plantes sauvages. C'est là que les bergers faisaient paître leurs troupeaux. Pour les surveiller, ils grimpaient sur des échasses, ce qui leur permettait d'observer leurs moutons de très loin et de parcourir plus rapidement de longues distances ! Mais en 1857, la loi d'assainissement des landes vient complètement modifier le paysage : des milliers de pins maritimes sont plantés pour arrêter la progression des sables et pour assainir le sol. Peu à peu, le paysage a pris l'aspect que nous lui connaissons aujourd'hui.

～ 15 février ～

LE ROYAUME DU SURF !

En quittant les Landes, nous retrouvons un relief plus découpé, fait de rochers et de falaises abruptes. Nous voici à **Biarritz** dans le **Pays basque**. Avec sa belle anse rocheuse, Biarritz est une station balnéaire très appréciée, et ce depuis le milieu du XIXe siècle : Napoléon III et l'impératrice Eugénie en firent leur lieu de villégiature favori. Aujourd'hui, Biarritz est aussi un spot de surf réputé dans le monde entier. Sur la plage, nous rencontrons Hugo. « J'ai commencé le surf à 9 ans, nous dit-il, et je m'entraîne 12 heures par semaine ! Cela fait partie de l'enseignement que je suis au collège, au même titre que les maths ou l'anglais ! Ce que je préfère ? C'est entrer dans le tube et aller au cœur de la vague. Sensations garanties ! »

Saint-Jean-de-Luz.

17 février

LA CÔTE ATLANTIQUE, C'EST FINI !

À une vingtaine de kilomètres de Biarritz, nous découvrons **Saint-Jean-de-Luz**, puis **Hendaye** et ses emblématiques « Deux Jumeaux », deux imposants rochers qui surgissent de la mer. Hendaye est la dernière ville française avant l'Espagne ! Après avoir longé sur plus de 700 km l'océan Atlantique, nous nous apprêtons à attaquer une partie compliquée de notre tour de France : les Pyrénées. Mais avant cela, Isabel, notre hôte de ce soir aux origines espagnoles, nous a organisé une virée en Espagne pour goûter des tapas !

Depuis le départ :

189 jours de marche

2 775 km parcourus

Du haut de la dune du Pilat.

L'histoire de la dune du Pilat

Au fil des siècles, les courants marins ont apporté du sable qui a formé le banc d'Arguin.
Puis peu à peu, à marée basse, le vent et des micro-gouttelettes d'eau ont arraché des grains de sable à la surface du banc, ce qui a donné naissance à la dune du Pilat. «Pilat» vient du mot gascon «pilhar», qui signifie «tas». Mais la station balnéaire de Pyla-sur-Mer, juste à côté, s'écrit avec une autre orthographe, spécialement choisie par son fondateur : «Pyla» était à ses yeux bien plus dépaysant et original !

La plage d'Arcachon sous la neige.

Le phare de Cordouan.

Le Versailles de la mer

Depuis le début du XVIIe siècle, le majestueux phare de Cordouan s'élève en mer au large de l'estuaire de la Gironde. La montée de ses marches (311 au total) dévoile d'incroyables trésors : au premier étage, se trouve « l'appartement du Roi », où aucun roi n'a jamais séjourné, mais où la décoration est royale : plafond voûté, sol en marbre et cheminée ! Au deuxième étage, on découvre une chapelle aux sublimes vitraux, puis au troisième, une grande salle très lumineuse, dite salle des Girondins. Enfin, juste après la chambre du gardien et son magnifique parquet en chêne, que l'on appelle aussi chambre de quart ou chambre de veille, on atteint la lanterne au sixième et dernier étage. Le phare a été habité par un gardien jusqu'en 2012.

Les moules de bouchot sont élevée sur des pieux en bois

Des milliers de sternes caugek viennent élever leurs petits sur le banc d'Arguin, où elles trouvent à profusion des sardines dont elles raffolent.

Sur le front de mer de La Baule, quelques superbes villas et luxueux palaces témoignent de sa grandeur pendant les années folles.

La pêche au carrelet est très pratiquée sur les côtes de Charente-Maritime et de Gironde. Le pêcheur capture tous les poissons qui passent au moment où il relève le filet.

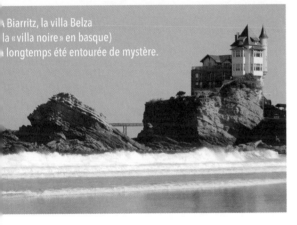
À Biarritz, la villa Belza (la «villa noire» en basque) a longtemps été entourée de mystère.

L'île aux Oiseaux

Au cœur de la mer intérieure que forme le bassin d'Arcachon, on peut s'évader jusqu'à l'île aux Oiseaux. D'une surface de 30 km² à marée basse, elle devient un tout petit îlot de 3 km² à marée haute. Comme son joli nom le laisse deviner, c'est un véritable paradis pour les aigrettes, les poules d'eau ou encore les sarcelles. C'est aussi un haut lieu de la culture des huîtres. On peut y découvrir de surprenantes maisonnettes sur pilotis : les cabanes tchanquées, d'où les ostréiculteurs surveillent leurs parcs à huîtres. Autrefois, ils se déplaçaient à bord de pinasses, de petites barques plates en pin des Landes.

La porte de la Grosse Horloge sur le port de La Rochelle.

La forêt des Landes de Gascogne est la plus grande forêt de France.

En route vers Hendaye, nous devons garder la mer à notre droite ! Mais parfois nous devons faire demi-tour pour trouver un autre chemin…

Le vieux-port de La Rochelle

C'est un lieu fort de la ville, qui a été rendu célèbre par les deux tours qui l'encadrent : d'un côté la tour de la Chaîne, de l'autre la tour Saint-Nicolas, qui ont été édifiées au Moyen Âge. C'est ensuite par la porte de la Grosse Horloge que l'on pénètre dans la ville. Autrefois, la petite ouverture était pour les piétons, et la plus large pour les attelages.

Avec ses 100 à 117 mètres de haut, la dune du Pilat est la plus élevée d'Europe ! Ce site offre un panorama exceptionnel : d'un côté s'étale une forêt de pins au vert profond, de l'autre la mer tout en dégradé gris-turquoise. Et au loin, on aperçoit le banc d'Arguin qui va jusqu'au Cap-Ferret. La dune du Pilat nous a bluffés ! Ce fut l'une des étapes les plus marquantes de notre tour de France.

La dune du Pilat

La baie de Saint-Jean-de-Luz

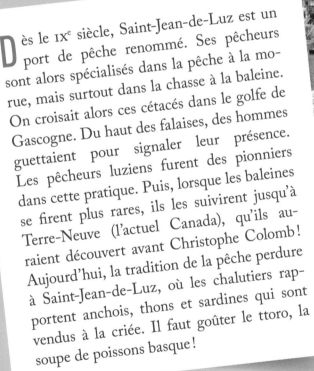

Dès le IXᵉ siècle, Saint-Jean-de-Luz est un port de pêche renommé. Ses pêcheurs sont alors spécialisés dans la pêche à la morue, mais surtout dans la chasse à la baleine. On croisait alors ces cétacés dans le golfe de Gascogne. Du haut des falaises, des hommes guettaient pour signaler leur présence. Les pêcheurs luziens furent des pionniers dans cette pratique. Puis, lorsque les baleines se firent plus rares, ils les suivirent jusqu'à Terre-Neuve (l'actuel Canada), qu'ils auraient découvert avant Christophe Colomb ! Aujourd'hui, la tradition de la pêche perdure à Saint-Jean-de-Luz, où les chalutiers rapportent anchois, thons et sardines qui sont vendus à la criée. Il faut goûter le ttoro, la soupe de poissons basque !

Le port de Ciboure, avec ses belles maisons colorées, typiques du Pays basque

La sardine

Pour brouiller les repères des prédateurs et pour trouver plus vite leur nourriture, les sardines vivent en banc très serré.

Les bateaux de pêche dans le port de Saint-Jean-de-Luz

Le bar

Un poisson curieux et vorace. C'est souvent ce qui le perd !

Le maquereau

Il a un corps fuselé taillé pour la vitesse !

La sole

Ce poisson plat affectionne
les fonds sableux,
où il se tapit pour attendre sa proie.

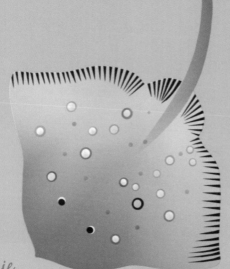

La raie

Raie et requin ont pour point commun
un squelette fait de cartilage,
ce qui leur donne une grande souplesse de nage !

Le congre

Il peut atteindre 3 mètres de long et peser jusqu'à 60 kg.

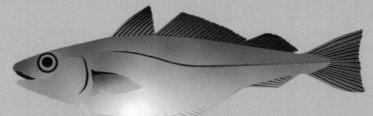

Le merlan

Il vit en banc, dans les eaux fraîches
des grandes profondeurs.

La julienne

Aussi appelé lingue bleue,
ce poisson vit dans les grandes profondeurs.

LES POISSONS DE L'ATLANTIQUE

NOTRE PLAN SPORT
Vive la glisse !

Le kayak de mer est de plus en plus populaire ! On doit l'invention du kayak aux Inuit : ce peuple du Grand Nord s'en sert depuis des millénaires pour la chasse et la pêche.

Timothé, amateur de paddle, pose avec sa planche et sa pagaie.

Un surfeur à l'assaut de puissants rouleaux.

Le kitesurf se pratique aussi sur le sable, tracté par un quad !

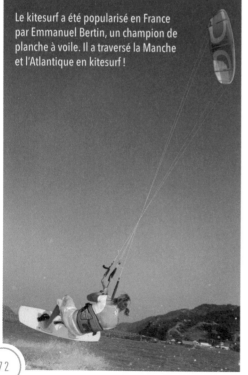

Le kitesurf a été popularisé en France par Emmanuel Bertin, un champion de planche à voile. Il a traversé la Manche et l'Atlantique en kitesurf !

De 1986 à 1993, la planche à voile était l'engin à voile le plus rapide du monde.

Abel à bord de son optimist.

De la caisse à savon… à l'optimist

L'optimist a été inventé en 1947 par un architecte naval américain. C'est en assistant à une course de caisses à savon (petits bolides motorisés) du club *Optimist International* que lui est venue l'idée de construire ce petit bateau facile à manœuvrer par les enfants !

California Surf

C'est à Biarritz que la mode du surf est lancée en 1956 !
Sur le tournage du film américain *Le Soleil se lève aussi*,
le réalisateur Peter Viertel utilise une planche de surf
tout droit venue de Californie. Il n'en faut pas plus
pour que ce sport soit aussitôt adopté ! Aujourd'hui,
tous les grands surfeurs se donnent rendez-vous à Biarritz.

randonneur

QUE FAUT-IL EMPORTER ?

TON MATÉRIEL

Un sac à dos trop lourd est le pire ennemi du randonneur ! N'emporte que ce dont tu as absolument besoin, et, avant de partir, n'hésite pas à tester le poids de ton sac au cours d'une balade. Voici les équipements indispensables :

• 2 bâtons de marche (qui réduisent les impacts et la charge sur les articulations) ;

• Un GPS ;

• Une boussole ;

• Une carte de la région : une carte IGN au 1:25 000e (1 cm = 250 mètres) te procurera les détails nécessaires ;

• Une gourde (quand on marche, il faut penser à s'hydrater très régulièrement) et des pastilles pour purifier l'eau (en pharmacie) pour les cas où tu ne serais pas sûr de sa qualité ;

• Une lampe torche ;

• Une petite trousse de secours contenant pansements, produit désinfectant, compresses, couverture de survie, aspi venin, aspirine (il existe des kits complets dans le commerce) ;

• Si tu veux ramener des souvenirs de ton périple, n'oublie pas ton appareil photo ou ta caméra.

TES VÊTEMENTS

Prévois un vêtement de rechange pour le soir (c'est toujours agréable), ainsi qu'une veste polaire et un vêtement de pluie (si possible, choisis un modèle qui empêche la condensation de se former à l'intérieur). Notre astuce : range tes vêtements dans des sacs en plastique, cela rend les manipulations plus faciles (et n'oublie pas un petit sac pour tes vêtements sales !)

SI TU PARS EN ÉTÉ :

Pour éviter coups de soleil et insolation, emporte de la crème solaire (avec un indice élevé, 30 ou 50), des lunettes de soleil et un chapeau. Porter un tee-shirt blanc (plutôt que noir qui attire la chaleur) et à manches longues t'offrira aussi une bonne protection.

SI TU PARS EN HIVER :

N'oublie pas gants, écharpe, bonnet, chaussettes chaudes, tee-shirt à manches longues (que tu pourras juxtaposer), collants à porter sous ton pantalon… Et pour lutter contre le froid, emporte aussi une bonne crème hydratante et du baume pour les lèvres (à appliquer régulièrement, avant même de ressentir les premiers effets du froid).

TES PETITS EN-CAS

Avant de partir, remplis bien ta gourde et vérifie qu'elle ne fuit pas. Pour remplir ta gourde sur le chemin, voici nos conseils : évite l'eau stagnante (car les bactéries s'y développent plus facilement), prends l'eau la plus claire possible, éloigne-toi des activités humaines et des animaux (pour éviter les effets de leurs déjections). Tout au long de la marche, tu vas dépenser beaucoup d'énergie. Prévois donc des petits en-cas sucrés comme des barres de céréales, des biscuits (en été, mieux vaut éviter ceux au chocolat car ils fondent très vite !) ou des fruits secs (raisins, abricots, pruneaux…).

la Bretagne

1. Que signifie «plou» en breton ?
a) La paroisse.
b) La mer.
c) La pluie.

2. Comment surnomme-t-on un phare situé sur le continent ?
a) Le nichoir.
b) La maison du ciel.
c) Le paradis.

3. Il existe 3 côtes de granit rose dans le monde. L'une est en Bretagne. Où sont les deux autres ?
a) En Corse et en Chine.
b) En Corse et en Californie.
c) En Corse et en Afrique du Sud.

4. Qui surnomme-t-on les «Johnnies» ?
a) Les vendeurs d'oignons de Roscoff en Angleterre.
b) Les joueurs de biniou qui jouent des airs anglais.
c) Les corsaires qui attaquaient les navires anglais.

5. Que cultive un mytiliculteur ?
a) Des moules.
b) Des coquilles saint-jacques.
c) Des coques.

6. Qu'appelle-t-on «fest-noz» en Bretagne ?
a) Le bal populaire du samedi soir.
b) La fête des crêpes.
c) Le marché aux primeurs.

7. Comment surnomme-t-on la ville de Saint-Malo ?
a) La cité forteresse.
b) La cité corsaire.
c) La cité pirate.

l'Atlantique

1. La dune du Pilat est la plus haute dune...
a) d'Europe.
b) du monde.
c) de France.

2. Où travaille un paludier ?
a) Dans une ferme.
b) Dans les marais salants.
c) Sur la plage.

3. Quelle station balnéaire a lancé la mode du surf ?
a) Biarritz.
b) Hossegor.
c) Biscarosse.

4. Pourquoi surnomme-t-on le phare de Cordouan le «Versailles de la mer» ?
a) Parce que Louis XIV est venu le visiter.
b) Parce que c'est l'architecte du château de Versailles qui l'a construit.
c) Parce que son aménagement est luxueux.

5. Quelle pêche est typique en Charente-Maritime ?
a) La pêche à la mouche.
b) La pêche à la cuillère.
c) La pêche au carrelet.

6. Dans le bassin d'Arcachon, à quoi servent les cabanes tchanquées ?
a) À observer les oiseaux migrateurs.
b) À surveiller les parcs à huîtres.
c) À abriter les barques des pêcheurs.

7. À Hendaye, qu'appelle-t-on les «Deux-Jumeaux» ?
a) Deux maisons du bord de mer qui sont identiques.
b) Deux anciens voiliers qui restent toujours au port.
c) Deux rochers qui sortent de la mer.

Solutions, p. 140.

Les Pyrénées

Océan Atlantique

AQUITAINE

LANDES

MONT-DE-MARSAN

HOSSEGOR

BIARRITZ

HENDAYE

ESPELETTE

SARE   AINHOA

SAINT-MARTIN-D'ARROSSA

Pays basque

PAU

PYRÉNÉES-ATLANTIQUES

TAR

SAINT-JEAN-PIED-DE-PORT

LES CHALETS D'IRATY

LOURDES   BAGN
                 DE-B

Parc national
des Pyrénées

HAUTES-
PYRÉNÉES

PIC DU MIDI D'OSSAU
(2 884 m)

Cirque
de Gavarnie

Massif
des Pyrénées

ESPAGNE

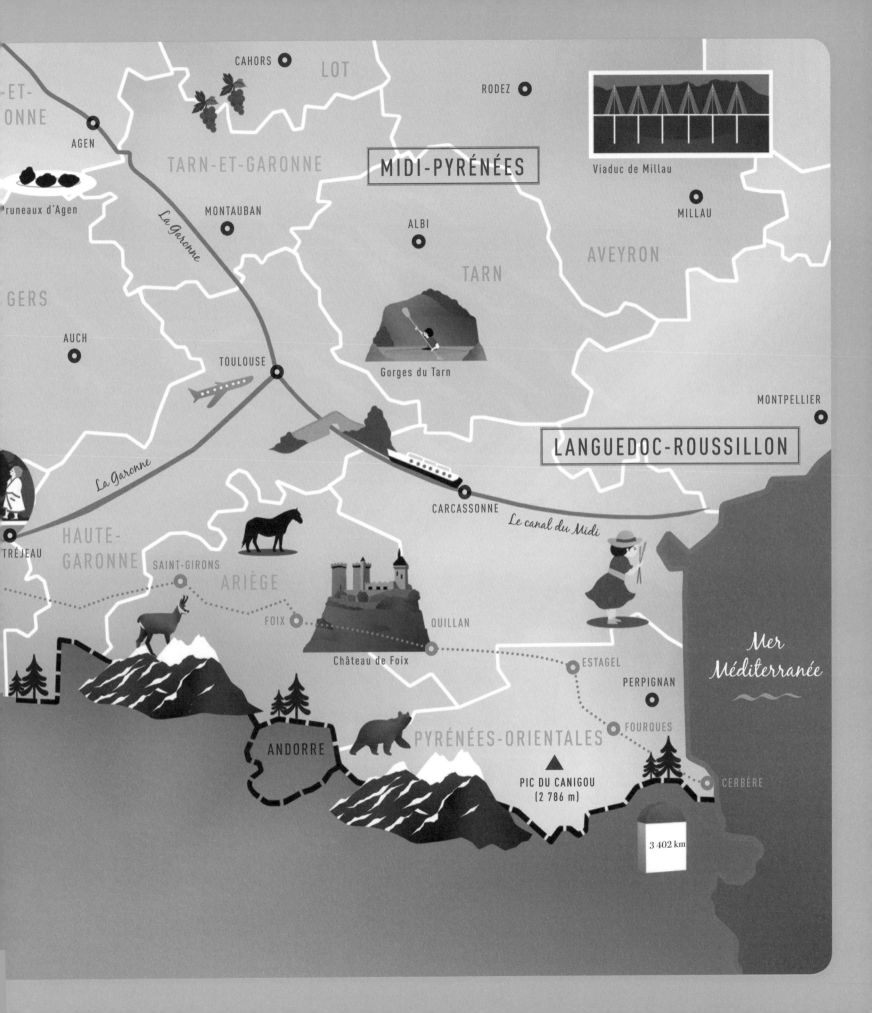

CAHORS

LOT

RODEZ

-ET-
ONNE

AGEN

Pruneaux d'Agen

TARN-ET-GARONNE

MONTAUBAN

La Garonne

GERS

AUCH

MIDI-PYRÉNÉES

Viaduc de Millau

ALBI

MILLAU

TARN

AVEYRON

Gorges du Tarn

TOULOUSE

La Garonne

MONTPELLIER

LANGUEDOC-ROUSSILLON

CARCASSONNE

Le canal du Midi

TRÉJEAU

HAUTE-
GARONNE

SAINT-GIRONS

ARIÈGE

FOIX

Château de Foix

QUILLAN

ESTAGEL

Mer
Méditerranée

PERPIGNAN

FOURQUES

ANDORRE

PYRÉNÉES-ORIENTALES

PIC DU CANIGOU
(2 786 m)

CERBÈRE

3 402 km

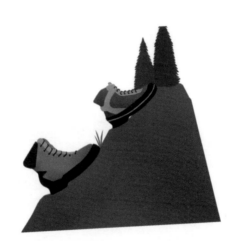

～18 février ～

À NOUS LES PYRÉNÉES !

Nous quittons Hendaye en suivant le GR10, le sentier de Grande Randonnée qui traverse toutes les Pyrénées. Nous entamons une étape importante de notre tour de France : pour la première fois, nous allons longer une frontière (la frontière franco-espagnole) et nous retrouver dans les montagnes : fini le plat sentier du littoral, ce sont des cols pouvant atteindre 2 700 mètres d'altitude qui nous attendent ! Et pour corser le tout, c'est au cœur de l'hiver que nous commençons cette ascension…

19 février

AU CŒUR DU PAYS BASQUE

Cette nuit, nous avons dormi à **Sare**, chez Pierre et Michèle. Comme dans tous les villages basques, les rues sont bordées de jolies maisons blanches aux toits rouges et, sur la place centrale, il y a un fronton où petits et grands viennent jouer à la pelote basque. Nous aurons l'occasion de pratiquer ce sport local plus tard, mais pour l'instant, place au dîner ! Michèle nous a préparé la spécialité régionale : l'axoa, un plat à base d'émincé de viande de bœuf, de pommes de terre, d'oignons et bien sûr de piment d'Espelette, qui assaisonne tous les plats basques. C'est en quelque sorte le poivre d'ici !

20 février

LES POTTOKS

Nous passons par **Ainhoa**, puis Saint-Martin-d'Arrossa et continuons à prendre de l'altitude. Sur notre chemin, nous croisons des pottoks (mot basque qui se prononce «pottioks» et qui signifie «petits chevaux»). On ne trouve cette espèce de poneys très résistants qu'au Pays basque. Aujourd'hui, ils vivent en semi-liberté dans les différents massifs, comme la Rhune, à l'ouest des Pyrénées. Les pottoks sont d'ailleurs les seuls êtres vivants que nous rencontrons. Il n'y a que nous pour arpenter le GR10 en cette saison !

21 février
À LA CROISÉE DU CHEMIN DE SAINT-JACQUES-DE-COMPOSTELLE

Nous arrivons sous un soleil radieux à **Saint-Jean-Pied-de-Port**, une cité fortifiée du XIIe siècle lovée au cœur des montagnes. Ici, «Port» vient du mot espagnol «*puerto*», qui signifie «col», car la ville est au pied du col de Roncevaux. Nous découvrons son château fort et grimpons jusqu'à la citadelle (une de plus qui a été remaniée par Vauban!). Au détour d'une rue, nous remarquons sur un mur l'emblème en forme de coquille Saint-Jacques qui jalonne les chemins de Compostelle. Saint-Jean-Pied-de-Port est en effet l'une des étapes de ce célèbre pèlerinage qui mène jusqu'à Saint-Jacques-de-Compostelle (en Espagne), où se trouverait le tombeau de l'apôtre saint Jacques le Majeur. Chaque année, des milliers de marcheurs et de pèlerins parcourent ces routes.

22 février
PARLEZ-VOUS BASQUE ?

Comme la Bretagne, le Pays basque possède une forte identité. L'axoa et le fromage de brebis accompagné de confiture de cerises noires sont des délices incontournables! Les maisons traditionnelles aux murs blancs arborent des pans de bois et des volets peints en rouge foncé. Quant aux panneaux indicatifs, ils sont écrits en français et en basque. Il faut savoir que certains Basques parlent et écrivent le basque au quotidien! D'ailleurs, nous en profitons pour apprendre quelques expressions: ici, «bonjour» se dit «*egun on*» le matin et «*arratsalde on*» l'après-midi, et pour dire au revoir, c'est «*agur*»!

23 février
PRIS DANS LA NEIGE !

Nous poursuivons notre traversée des Pyrénées-Atlantiques et découvrons les joies de la randonnée en haute montagne: chaque jour, nous faisons près de 2 000 mètres de dénivelé, et hier, nous avons passé notre plus haut col, à 1 320 mètres d'altitude. Nous nous rapprochons de plus en plus des sommets neigeux, et, après quatre heures de marche, nous nous retrouvons dans la neige! Pour couronner le tout, nous n'avons plus d'eau, plus de nourriture et plus de réseau téléphonique! Nous atteignons notre gîte aux **chalets d'Iraty** à 22 heures, complètement gelés et affamés… mais sains et saufs! Ouf!

24 février

ON DESCEND D'UN CRAN !

Ce matin, le réseau téléphonique passe à nouveau et nous commençons donc par appeler la gendarmerie de haute montagne pour savoir quel itinéraire suivre. « À partir des chalets d'Iraty, le GR10 est sous la neige et tous les gîtes sont fermés ! » nous annoncent-ils. Nous décidons donc de descendre un peu plus bas dans la vallée pour suivre les petites routes… sans danger.

26 février

LA VILLE DES MIRACLES

En suivant ce nouvel itinéraire, nous atteignons **Lourdes**, qui marque la frontière entre la région Aquitaine et la région Midi-Pyrénées. La petite ville de Lourdes est devenue internationalement connue grâce à Bernadette Soubirous qui a déclaré avoir vu la Vierge devant la grotte de Massabielle. C'était en 1858 et, depuis, les Lourdais voient défiler chaque année des millions de pèlerins, de malades et d'invalides, qui espèrent y rencontrer le miracle de leur guérison. Aujourd'hui, Lourdes est le troisième lieu de pèlerinage catholique le plus visité au monde après le Vatican à Rome et la basilique Notre-Dame-de-Guadalupe à Mexico.

15 mars

LES EAUX DES PYRÉNÉES

Après une longue pause réparatrice, nous arrivons à **Bagnères-de-Bigorre**, réputée pour ses sources d'eau chaude que les Romains ont découvertes en 28 avant J.-C. À partir du XVIIIe siècle, tout ce que la France et l'Europe comptent de princes, de marquis ou de riches bourgeois vient passer ses vacances aux « eaux des Pyrénées ». Au total, on trouve plus d'une vingtaine de stations thermales dans le massif pyrénéen. Bagnères-de-Bigorre est aussi connue pour son magnifique casino… qui n'était autre qu'un couvent au XVIIIe siècle !

22 mars

AU PAYS DES CHÂTEAUX CATHARES

Voici près d'une semaine que nous avançons dans le brouillard et la pluie. Ouf, le soleil revient, au moment où nous atteignons **Foix**. Nous décidons d'aller visiter son château fort qui domine la ville depuis un piton rocheux. Au XIIᵉ siècle, ce château a été l'un des principaux lieux de refuge des cathares, des religieux qui s'opposèrent aux chrétiens et durent se protéger des assauts de l'armée royale. Nous empruntons ensuite le fameux «sentier cathare», qui permet de rejoindre d'autres châteaux tout aussi haut perchés, et qui offre une vue exceptionnelle sur la chaîne des Pyrénées.

24 mars

L'AIR DU SUD…

Dans les Pyrénées-Orientales, qui s'ouvrent sur l'Orient (l'est) et donc sur la mer Méditerranée, nous percevons tout de suite un changement d'ambiance : sur la place des villages, on se donne rendez-vous à l'ombre des platanes, les toits des maisons arborent des couleurs ocre, tandis que s'étendent à perte de vue des vignobles et des arbres fruitiers. Nous poursuivons notre route vers l'est et apercevons le **pic du Canigou**, le plus haut sommet des Pyrénées orientales, d'où il est possible d'apercevoir la ville espagnole de Barcelone, située à près de 200 km !

10 avril

MÉDITERRANÉE EN VUE !

Avec le retour du beau temps, nous décidons de reprendre de la hauteur. Plus nous nous élevons, plus le panorama sur la mer Méditerranée devient grandiose. Mais tout à coup, un orage d'une force incroyable éclate ! Vite, nous trouvons refuge dans un fort abandonné, près de la **tour Madeloc**, une ancienne tour de guet du XIIIᵉ siècle d'où l'on surveillait la mer. Heureusement, c'est ici que nous avons rendez-vous avec nos hôtes de ce soir !

3402 km

Depuis le départ :

243 jours de marche

3 402 km parcourus

NOTRE DÉCOUVERTE *des* Pyrénées

Le pic du Midi d'Ossau, dans les Pyrénées-Atlantiques (2 884 mètres d'altitude).

Sur les hauteurs de Cerbère.

Tradition pastorale

À la fin du printemps, c'est le temps de la transhumance : le berger, accompagné de ses chiens, conduit son troupeau de brebis dans les estives, les pâturages des Pyrénées. Pendant tout l'été, il s'installe dans une simple cabane, appelée cayolars. Chaque jour, il assure la traite de ses bêtes et fabrique des fromages avec leur lait. C'est le fameux ossau-iraty. L'automne venu, tout le monde redescend dans la vallée.

En direction des chalets d'Iraty... Ce paysage de neige immaculée est sublime, mais la nuit tombe dans deux heures : nous devons nous dépêcher !

Au cœur d'un cirque extraordinaire

Situé dans le parc national des Pyrénées, le cirque naturel de Gavarnie est l'un de ses joyaux. Les falaises escarpées forment ici un demi-cercle d'environ 6 km, au cœur duquel tombe la plus grande cascade d'Europe, haute de 427 mètres ! De nombreux sentiers de randonnée permettent de découvrir ce site magique à pied et même à cheval.

À l'assaut des châteaux cathares !

Les cathares sont arrivés au XIIe siècle dans le Languedoc. Ces religieux qui adoptaient un mode de vie d'une grande austérité s'opposaient alors au clergé chrétien, qu'ils jugeaient corrompu par l'argent. Les armées du roi et le pape répliquèrent en organisant contre eux des croisades. Et c'est dans des forteresses perchées sur des pitons rocheux qu'ils trouvèrent refuge. De Puilaurens à Peyrepertuse, de Quéribus à Montségur, des randonnées conduisent sur les traces des cathares pour nous faire découvrir ces incroyables châteaux !

Le château de Foix domine la ville du haut de son rocher.

Ils sont très amusants, ces béliers du Pays basque avec leurs cornes en tire-bouchon !

La petite histoire du piment d'Espelette

Ces petits piments rouges ont été introduits au Pays basque dès le XVIe siècle. C'est à Espelette qu'on a commencé à les cultiver. Chaque année à la fin du mois d'octobre, on fête le piment à Espelette : des milliers de piments sont exposés dans les rues et sur les façades des maisons, selon la pratique traditionnelle qui consiste à faire longuement sécher les piments au soleil.

Le Parc national des Pyrénées

Au-dessus de 3 000 mètres d'altitude, près des neiges éternelles, c'est l'étage nival.

Les estives sont de grandes étendues d'herbe où les troupeaux viennent paître.
C'est l'étage montagnard.

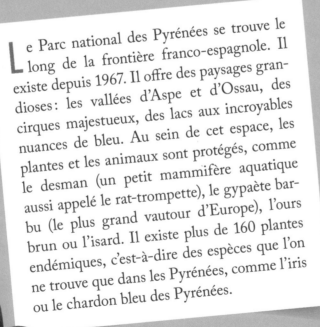

Le Parc national des Pyrénées se trouve le long de la frontière franco-espagnole. Il existe depuis 1967. Il offre des paysages grandioses : les vallées d'Aspe et d'Ossau, des cirques majestueux, des lacs aux incroyables nuances de bleu. Au sein de cet espace, les plantes et les animaux sont protégés, comme le desman (un petit mammifère aquatique aussi appelé le rat-trompette), le gypaète barbu (le plus grand vautour d'Europe), l'ours brun ou l'isard. Il existe plus de 160 plantes endémiques, c'est-à-dire des espèces que l'on ne trouve que dans les Pyrénées, comme l'iris ou le chardon bleu des Pyrénées.

De nombreux cours d'eau et torrents parcourent les Pyrénées. Ils terminent parfois leur course en d'impressionnantes chutes d'eau.

Le chocard à bec jaune

Avec son bec jaune, ses pattes rouges
et ses cris stridents, on le repère facilement.

L'ours brun

Les Pyrénées sont les seules montagnes
françaises où on peut encore le croiser.

L'edelweiss

Une espèce très protégée aussi appelée
l'immortelle des neiges, l'étoile d'argent
ou la reine des glaciers.

L'aigle royal

On peut l'apercevoir planer en cercle dans les airs.
Ses ailes dépassent 2 mètres d'envergure.

La vache Betizu

À prononcer « betissou ». Elle vit à l'état sauvage
dans les Pyrénées.

Le chardon bleu des Pyrénées

Cette plante a de nombreuses vertus médicinales.

L'isard

Plus petit qu'un chamois,
st tout aussi agile. C'est notamment
pour assurer sa protection
que le parc fut créé.

La renoncule des glaciers

Tout roses au début de la floraison, ses pétales
deviennent ensuite d'un blanc éclatant.

La marmotte

Dès qu'elle se sent en danger, elle siffle
pour prévenir ses congénères,
avant de regagner son terrier.

LA FAUNE ET LA FLORE DES PYRÉNÉES

basques

La confiture de cerises noires

C'est avec le fromage de brebis
que les Basques la dégustent.

Le drapeau basque

Son nom, *Ikurrina*, vient du mot basque
Ikurrin qui signifie «drapeau».

La pelote basque

Voici les règles : avec le chistera (sorte de panier en osier), il faut envoyer
la pelote (la balle) contre le fronton (le mur), de telle sorte qu'elle retombe
dans l'aire de jeu. L'adversaire doit alors relancer la pelote
après un seul rebond, sinon il perd le point.

Le costume basque

La makhila (bâton de marche),
la gourde et le béret sont les accessoires traditionnels.

Les macarons de Saint-Jean-de-Luz

Ils auraient été créés pour le mariage de Louis XIV
avec Marie-Thérèse d'Autriche, l'infante d'Espagne,
qui fut célébré à Saint-Jean-de-Luz en 1660.

Le porc pie-noir

Ce cochon montagnard est un incroyable marcheur
parfaitement adapté à l'élevage en montagne.
Il fait la renommée du jambon de Bayonne.

L'ossau-iraty

Ce fromage typique au lait de brebis
servait de monnaie d'échange au Moyen Âge.

Le piment d'Espelette

Un incontournable de la gastronomie basque !

Le jambon de Bayonne

Issu d'un savoir-faire millénaire,
on le trouvait déjà sur la table d'Henri IV.

Les courses de vaches

Aussi appelées courses landaises, elles ont lieu
directement dans les rues et sur les places des villes,
lors d'une grande fête qui dure plusieurs jours.

La croix basque

Formée par quatre virgules, elle est
le symbole de la région depuis 1950.

Le gâteau basque

Fourré de crème d'amandes
ou de confiture de cerises noires,
c'est le gâteau traditionnel du dimanche.

La maison labourdine

Avec ses murs blanchis à la chaux et ses pans de bois couleur «rouge sang
de bœuf» (autrefois, on utilisait vraiment du sang de bœuf, qui éloignait
les insectes et protégeait du pourrissement),
c'est la maison la plus traditionnelle du Pays basque.

Les danses basques

Il en existerait plus de 200 que pratiquent toujours petits
et grands lors des cérémonies populaires ou religieuses.

LOZÈRE

Loup du Gévaudan

MIDI-PYRÉNÉES

Viaduc de Millau

MILLAU

Pont du Gard

LANGUEDOC-ROUSSILLON

CASTRES

HÉRAULT

MONTPELLIER

LA GRANDE
MOTTE

PALAVAS-LES-FLOTS

TOULOUSE

SÈTE

La Garonne

AGDE

CARCASSONNE

Le canal du Midi

GRUISSAN

AUDE

FOIX

Château de Foix

Pyrénées

PERPIGNAN

La côte Vermeille

ANDORRE

PYRÉNÉES-ORIENTALES

Train jaune

ARGELÈS
COLLIOURE
PORT-VENDRES

PIC DU CANIGOU
(2 786 m)

CERBÈRE

ESPAGNE

HAUTES-ALPES

MONTÉLIMAR

Nougat de Montélimar

4 148 km

ALPES-
MARITIMES

Le Rhône

DIGNE-LES-BAINS

ALPES-DE-HAUTE-PROVENCE

MENTON

ARD

AVIGNON

NICE

VAUCLUSE

PROVENCE-ALPES-CÔTE D'AZUR

CANNES

ARLES

BOUCHES-
DU-RHÔNE

VAR

MASSIF DE L'ESTEREL

FRÉJUS

S-MARIES-
MER

Camargue

FOS-SUR-MER

MARSEILLE

SAINT-TROPEZ

LES CALANQUES

CASSIS

CAVALAIRE-SUR-MER

LA CIOTAT

CAP CANAILLE

BANDOL

HYÈRES

La côte d'Azur

TOULON

Vers la Corse

ÎLE DU LEVANT

Épave de l'avion
de Saint-Exupéry

ÎLE DE PORT-CROS

ÎLE DE PORQUEROLLES

Mer Méditerranée

La Méditerranée

12 avril

VUE À 180°
SUR LA GRANDE BLEUE

Cette nuit, nous avons dormi chez Claude et Dominique à **Cerbère**, la station balnéaire la plus au sud de la France. Construite à même la roche, cette ville balayée par les vents donne directement sur la mer Méditerranée. Claude nous raconte l'histoire de la gare ferroviaire de Cerbère, la toute dernière avant l'Espagne. Cette gare joue un rôle particulier, car en Espagne, les rails sont plus espacés qu'en France (1 668 mm contre 1 435 mm, qui est l'écartement le plus utilisé dans le monde). Cette différence remonte à 1850, à une époque où les deux pays entretenaient des relations houleuses : c'est donc pour empêcher les trains français d'entrer sur leur territoire que les Espagnols ont construit des voies ferrées différentes ! Aujourd'hui encore, en gare de Cerbère, les trains font une pause pour que les essieux soient changés.

Collioure.

13 avril
AMBIANCE CATALANE

Après avoir quitté la frontière espagnole, nous suivons l'unique sentier qui longe la Méditerranée. Direction l'Italie! La côte Vermeille offre un paysage magnifique, où alternent criques et vignes à flanc de coteau. Cette côte est également très réputée auprès des amateurs de plongée, car, entre Cerbère et Banyuls-sur-Mer, se trouve la seule réserve naturelle exclusivement marine de France. Nous passons ensuite par **Port-Vendres** et **Collioure**, d'anciens villages de pêcheurs devenus de charmantes villes balnéaires bercées par les traditions catalanes. Ici, on célèbre le flamenco et on se régale de cargolade (des escargots grillés!).

16 avril
SOUS LES RAFALES
DE LA TRAMONTANE

Nous faisons face à une nouvelle difficulté : la tramontane. Ce vent qui vient du nord rafraîchit l'air chaud du sud, mais il souffle si fort que les locaux affirment qu'il peut rendre fou ! D'après la fameuse règle des « 3, 6, 9 », lorsque la tramontane se lève, elle peut souffler pendant 3, 6 ou 9 jours (une règle qui serait aussi valable pour le mistral). Quelques jours plus tard, nous découvrons que ce vent est aussi synonyme de jeu et de sensations fortes. Surnommée la capitale du vent, **Gruissan** accueille tous les ans le plus grand événement de windsurf au monde : le « Mondial du vent », qui rassemble plus d'un millier de kitesurfeurs et de windsurfeurs ! Sur les plages de la région, nous croisons des centaines de passionnés (petits et grands) qui filent à toute vitesse et sautent haut dans les airs. C'est spectaculaire !

22 avril
SURPRENANTE CAMARGUE

Après Sète, Palavas-les-Flots et La Grande-Motte, qui accueillent chaque année des milliers de touristes venus profiter du soleil, nous faisons nos premiers pas en Provence et partons à la découverte de la Camargue. Au cœur de ses paysages sauvages, nous observons émerveillés les flamants roses, les chevaux blancs et les taureaux d'un noir ébène, qui font la fierté des Camarguais. Mais ce magnifique patrimoine est très fragile et menacé par l'augmentation du niveau des mers. Ainsi, la commune des Saintes-Maries-de-la-Mer, qui se trouve aujourd'hui en bord de mer et doit être protégée par des digues, se trouvait au Moyen Âge à l'intérieur des terres, à plusieurs kilomètres de la côte.

26 avril
BAIN DE FOULE À MARSEILLE

Depuis que nous avons passé le Rhône, nous sommes dans la région Provence-Alpes-Côte d'Azur, souvent appelée Paca. Après avoir traversé la zone industrielle de Fos-sur-Mer, nous faisons une pause de deux jours à Marseille. Un nécessaire arrêt au stand! Nous retrouver au cœur de la cité phocéenne, la deuxième ville la plus peuplée de France après Paris, est un sacré choc pour nous, qui avons souvent parcouru en solitaire plages et sentiers! Après une sympathique virée sur le Vieux-Port et une visite à la «Bonne Mère», la basilique Notre-Dame-de-la-Garde qui offre un point de vue exceptionnel sur la côte et la ville, nous reprenons illico nos sacs à dos. Direction les calanques!

29 avril
MERVEILLEUSES CALANQUES

Dès notre entrée dans le Parc national des calanques, nous sommes saisis par l'extraordinaire beauté du site. Et nous ne sommes pas les seuls à l'apprécier! Nous sommes entourés d'autres randonneurs, de passionnés d'escalade, de kayakistes et de plongeurs. Nous apprenons aussi que les calanques abritent quelques curiosités: en 1991, un plongeur a découvert Cosquer, une grotte sous-marine ornée de peintures datant du paléolithique. Et en 2004, c'est l'épave de l'avion d'Antoine de Saint-Exupéry, abattu par les Allemands en 1944, qui a été tirée des eaux.

1er mai
LA PLUS HAUTE FALAISE DE FRANCE

Notre périple dans les calanques s'achève à **Cassis** (prononcer « Cassi » sans le *s* !). C'est sous la pluie que nous découvrons son charmant petit port, paré de maisons colorées… Nous grimpons tout de même jusqu'au sommet du **cap Canaille**, la plus haute falaise de France avec ses 363 mètres, avant même celles d'Étretat. Et là-haut, grâce au mistral, il fait à nouveau beau ! Nous surplombons les calanques, mais aussi une grande partie de la côte que nous avons foulée ces derniers jours. Nous venons de loin !

6 mai
QUEL ARSENAL !

Après **La Ciotat** et **Bandol**, nous entrons dans **Toulon**, le plus grand port militaire de France, qui abrite notamment le porte-avions *Charles de Gaulle*. Cet impressionnant bâtiment de combat de la marine française peut abriter plus de 30 avions, 4 hélicoptères et compte un équipage de près de 1 800 hommes ! Nous, nous sommes déjà fort impressionnés par les énormes navires et sous-marins qui sont à quai !

12 mai
SUR LE PORT DE SAINT-TROP'

Escale dans la mythique ville de **Saint-Tropez** ! Depuis que Brigitte Bardot et d'autres grandes stars des années 60 sont venues y passer leurs vacances, ce petit village de pêcheurs a acquis une renommée internationale, et nombreux sont les yachts luxueux qui y accostent. Nous sommes entraînés vers le port, où règne une ambiance incroyable : des peintres, de la musique, des touristes… et des dizaines de bateaux. Il s'agit des « Voiles latines », une fête qui célèbre les anciennes embarcations à voiles typiques du bassin méditerranéen, comme les felouques (que l'on croise sur le Nil), les gozzos (petite barque italienne) ou encore les pointus (barque de pêche traditionnelle)… Le départ de la régate est donné : d'un coup, tous les bateaux s'élancent vers l'horizon !

~ 24 mai ~
EN PLEIN FESTIVAL DE CANNES

Nous découvrons aujourd'hui une autre perle de la Côte d'Azur : le **massif de l'Esterel**, situé à la frontière des Alpes-Maritimes. Ce massif montagneux volcanique aux incroyables roches rouges surplombe la Méditerranée et offre un cadre sublime aux randonneurs et aux amateurs de VTT ou d'escalade. Pour la petite histoire, la Corse est issue de l'un des pans de l'Esterel qui s'est détaché il y a des millions d'années. Après cette traversée paradisiaque, c'est le glamour de **Cannes** qui nous attend, car nous avons la chance d'arriver en plein festival du cinéma. Quelle foule sur la Croisette ! Dans nos tenues de randonneurs élimés, nous passons devant les palaces, les limousines géantes, les magasins de luxe… On peut dire que nous dépareillons complètement dans le décor !

Menton.

4148 Km

27 mai
DERNIERS ARRÊTS
SUR LA CÔTE D'AZUR

Nous traversons **Nice** en suivant la célèbre promenade des Anglais, où se croisent les flâneurs, les joggeurs et les fans de roller. Mais d'où vient donc cette appellation ? L'anecdote ne manque pas de sel ! Au XIXᵉ siècle, Nice était une station d'hiver très appréciée pour son agréable climat, mais seuls les touristes anglais, habitués à une météo plus fraîche, étaient assez fous pour venir se balader en bord de mer !
Nous poursuivons ensuite notre route jusqu'à **Menton**, dernière ville française avant la frontière italienne. Le symbole de Menton, c'est le citron, car son climat est si doux que les citronniers y poussent à foison ! Et ses températures exceptionnelles ont aussi permis de créer le Val Rahmeh, un jardin exceptionnel où poussent des espèces de végétaux très rares, parfois disparues ou en voie de disparition, comme le Sophora toromiro, un petit arbre originaire de l'île de Pâques. Mais il est temps de rejoindre le GR5 et les Alpes !

Vue fabuleuse sur les calanques !

Avant l'arrivée des touristes, on prépare les plages.

Moteur, ça tourne !

Depuis les débuts du cinéma, la Côte d'Azur entretient une belle histoire avec le septième art. C'est à La Ciotat que les frères Lumière, inventeurs du cinématographe, tournent en 1895 l'un de leurs premiers courts métrages : *L'Arrivée d'un train en gare de la Ciotat*. En 1933, Marcel Pagnol installe ses studios de cinéma à Marseille, où il tourne notamment *Le Schpountz*. Et il y a bien sûr le festival de Cannes, créé en 1939 pour s'opposer à la Mostra de Venise, soudain placée sous l'emprise du fascisme. Mais la guerre met un coup d'arrêt aux festivités et ce n'est qu'en 1946 que s'ouvre le 1er festival international du film cannois.

Du haut des vertigineuses falaises des calanques.

Sa majesté carnaval

Au mois de février, Nice vit au rythme de son carnaval avec son défilé de chars et sa célèbre bataille de fleurs : des milliers de mimosas, lys ou marguerites, cueillis dans les collines voisines, sont lancés sur la foule. Cette tradition date de 1876, mais ce n'est qu'en 1892 que le confetti en papier remplace celui… en plâtre !

ROUVERT
face à la mer
RESTAURANT GLACIER
BAR
bière & vin
Le bout du monde
suivre sentier sous-marin

Les toits du Vieux-Nice

L'élégante plage de Saint-Tropez. Bientôt, il n'y aura plus un transat de libre !

Le petit port typiquement méditerranéen de Port-Vendres.

Le «Coup de mistral», le plus fameux santon provençal.

Dernier coup d'œil sur Menton, avant les Alpes !

Le port de Nice.

Petite crique après La Ciotat.

La «Bonne Mère» veille sur Marseille.

À la mode provençale

Jusqu'au début du XXe siècle, les Provençaux ont porté leurs costumes traditionnels chaque dimanche. Aujourd'hui, on peut les admirer lors de fêtes locales. Le costume des hommes se composait d'une culotte, avec des bas ou des guêtres, d'un gilet, d'une jaquette et d'une ceinture de laine rouge, la taillole. Après avoir revêtu bustier et jupon, les femmes portaient une robe et une chemise, qu'elles agrémentaient d'un fichu et d'un tablier. L'élément marquant de leur tenue était la coiffe, qui changeait en fonction des tâches à effectuer.

Le long du massif de l'Esterel.

La Camargue

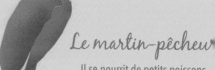

Il se nourrit de petits poissons
qu'il avale d'un coup, tête la premiè...

L a Camargue forme un étonnant paysage de marais salés, d'étangs et de rizières. Cette zone humide est située dans le delta du Rhône, où se mêlent l'eau douce du fleuve et l'eau salée de la Méditerranée, si bien qu'on y trouve des plantes supportant l'eau salée, comme la salicorne et la saladelle (ou lavande de mer). On peut y observer de nombreux oiseaux: les flamants roses bien sûr, mais aussi des canards (sarcelles, pilets, souchets), des martins-pêcheurs ou des hérons. Autres animaux incontournables: les taureaux et les chevaux camarguais, qui sont élevés en semi-liberté.

Les flamants roses viennent en Camargue pour se reprodui...

Le cheval de Camargue a dû s'adapter aux fortes chaleurs, aux vents violents, à l'humidité, ainsi qu'aux innombrables insectes qui caractérisent la région, d'où sa grande résistance.

Ici, on appelle les troupeaux de taureaux les manad...
Pour se nourrir, ils se contentent des roseaux et des salicorn...
les seules plantes à pousser sur ces terres humid...

La course camarguaise

Dans l'arène, les raseteurs doivent attraper la cocarde (un ruban rouge) fixée entre les cornes d'un taureau.

La croix de Camargue

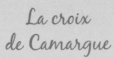

Elle symbolise l'union des gardians (les tridents) et des pêcheurs (l'ancre), mais aussi la foi (la croix) et la charité (le cœur).

Les gardians

Au XIXe siècle, pour diriger leurs troupeaux de taureaux, ils utilisaient un ficheiroun (trident de fer) et un seden (corde en crin) pour attraper les chevaux.

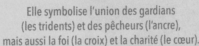

Le flamant rose

Il tient sa belle couleur des crustacés et des algues qu'il mange.

Le pilet

Un canard élégant et méfiant !

La fête des gitans

Le 24 mai, les gitans des Saintes-Maries-de-la-Mer portent sainte Sarah, leur patronne, jusque dans les flots pour célébrer son arrivée par la mer avec les saintes Marie Jacobé et Marie Salomé.

Le mas

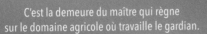

C'est la demeure du maître qui règne sur le domaine agricole où travaille le gardian.

D ans ce massif de calcaire blanc au relief tourmenté, les falaises se jettent dans une eau turquoise. Petites criques, sentiers protégés et délicieuse odeur de thym font des calanques un vrai coin de paradis. Sans oublier la vue extraordinaire qui se déploie sur la Méditerranée et ses îles, comme l'archipel du Frioul, qui comprend l'île d'If dont le château a été rendu célèbre par le roman d'Alexandre Dumas *Le Comte de Monte-Cristo.*

Les calanques

provençales

Le gâteau des rois, une brioche en forme de couronne parfumée à la fleur d'oranger et couverte de fruits confits, que l'on déguste à l'Épiphanie.

La tarte tropézienne devrait son nom à Brigitte Bardot.

La Pissaladière

Pour 6 personnes
Préparation : 15 minutes (+ pâte à laisser reposer 20 minutes)
Cuisson : 45 minutes

Ingrédients

400 g de pâte à pizza du commerce, 1 kg d'oignons, 200 g d'anchois,
une poignée d'olives noires, sel, poivre, origan, huile d'olive.

Préparation

Pétrir et faire une boule avec la pâte à pizza, puis la mettre dans un saladier
couvert d'un torchon et la laisser reposer 20 minutes.
Étaler la pâte au rouleau.
Verser un filet d'huile d'olive dans un moule à tarte et étendre la pâte.

Éplucher les oignons, puis les couper en rondelles.
Faire chauffer de l'huile d'olive dans une poêle, et faire revenir les oignons avec les anchois
(en réserver quelques-uns pour la décoration).
Bien surveiller la cuisson des oignons qui doivent être cuits (ils prennent une couleur jaune)
sans être trop secs, car ils cuiront encore un peu dans le four.
Poivrer, saler et ajouter de l'origan selon votre goût.

Garnir la pâte avec les oignons et les anchois cuits, puis faire un rebord avec la pâte
et le badigeonner d'huile d'olive avec un pinceau.
À la sortie du four, décorer avec des filets d'anchois et des olives noires.

La tapenade, une purée d'olives vertes
ou noires et de câpres.

Le picodon, un petit fromage
piquant au lait de chèvre.

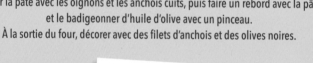

La ratatouille, une spécialité niçoise.

Les calissons, de fondantes confiseries
à la pâte d'amande et au melon confit.

L'huile d'olive, l'ingrédient de base
de la cuisine méditerranéenne.

Chez Marius - Buvette

COMMENT PRÉPARER SON ITINÉRAIRE ET SON BIVOUAC ?

N'oublie pas qu'il vaut mieux que les étapes soient trop courtes que trop longues et prévois toujours un peu plus de temps que nécessaire. Cela évite bien des mauvaises surprises ! Une fois sur le chemin, n'hésite pas à demander conseil aux autres randonneurs, aux commerçants des villages, aux gardiens de refuge…

OÙ TROUVER DES INFORMATIONS ?

Les guides de la région et les sites internet d'offices du tourisme, d'associations de randonneurs ou de la Fédération française de randonnée pédestre sont de bonnes sources d'informations à parcourir avant de partir.

QUEL MATÉRIEL PRÉVOIR, SI TU PASSES LA NUIT EN BIVOUAC ?

• Une tente : choisis une tente légère et facile à monter !
• Un matelas gonflable ;
• Un sac de couchage ;
• Un réchaud ;
• Une popote légère en plastique ;
• De la nourriture : vive les aliments déshydratés ! Un peu d'eau chaude, et c'est prêt. Ils constituent un vrai repas, sont très légers à transporter et peuvent se manger à même le sachet. Convaincus ?

COMMENT BIEN LIRE UNE CARTE ?

Étudie de près une carte de type IGN au 1:25 000e (1cm = 250 mètres), en faisant très attention à ces points :

• Distances : prends la mesure entre deux points et calcule la distance réelle grâce à l'échelle indiquée sur la carte ;
• Altitude, reliefs et pentes abruptes : repère-les grâce aux courbes de niveau (elles sont plus ou moins précises selon les cartes) ;
• Dénivelés, difficultés du terrain (éboulements, roches, rivière…) ;
• Possibilités de camper et/ou localisation des refuges : avant de partir, vérifie que les refuges repérés sont bien ouverts et qu'il reste des places (il est parfois plus prudent de réserver à l'avance) ;
• Lieux de ravitaillement en nourriture et en eau.

OÙ MONTER SA TENTE ?

• Choisis un terrain plat et sec.
• Ne t'installe jamais à côté d'un torrent car, s'il pleut, le torrent peut sortir de son lit.
• Si possible, place ta tente à côté d'un muret ou d'une haie pour te protéger du vent.
• Si le terrain est une propriété privée, demande l'autorisation au propriétaire !
• Prends le temps d'enlever bouts de bois, racines et cailloux et de boucher les trous.
• Pour isoler du froid et rendre le sol moins dur, étale de la paille, des fougères ou des feuilles mortes.

les Pyrénées

1. Quel est le plat typique du Pays basque ?

a) L'axoa.

b) La pissaladière.

c) Le kugelhopf.

2. Quelle est la particularité des châteaux cathares ?

a) Ils sont toujours haut perchés.

b) Ils sont toujours en pleine forêt.

c) Ils sont toujours entourés d'un fossé.

3. Il n'y a que dans les Pyrénées que l'on peut voir un desman. Mais à quoi ressemble cet animal ?

a) À un rat.

b) À un aigle.

c) À un chamois.

4. Le Parc national des Pyrénées a notamment été créé pour protéger un animal. Lequel ?

a) L'ours brun.

b) La vache Betizu.

c) L'isard.

5. Qu'est-ce qu'un pottok ?

a) Un oiseau rare.

b) Un petit cheval.

c) Un chien de berger.

6. Dans la pelote basque, qu'est-ce que le chistera ?

a) Une tactique de jeu.

b) Le panier en osier qui sert à récupérer la pelote.

c) Le nom de l'aire de jeu.

7. Que vient-on admirer au cirque de Gavarnie ?

a) Les meilleurs acrobates d'Europe.

b) Le plus haut sapin d'Europe.

c) La plus grande cascade d'Europe.

la Méditerranée

1. Quel petit nom les Marseillais donnent-ils à la basilique Notre-Dame-de-la-Garde ?

a) La Sainte Mère.

b) La Folle Mère.

c) La Bonne Mère.

2. À qui la tarte tropézienne doit-elle son nom ?

a) Louis de Funès.

b) Alain Delon.

c) Brigitte Bardot.

3. Qu'est-ce qui fait la réputation du carnaval de Nice ?

a) Sa bataille d'eau.

b) Sa bataille de plumes.

c) Sa bataille de fleurs.

4. En Camargue, que font les gardians ?

a) Ils récoltent le riz.

b) Ils dirigent les troupeaux de taureaux et de chevaux.

c) Ils surveillent les oiseaux migrateurs.

5. Quel est le symbole de la ville de Menton ?

a) Le mimosa.

b) Le citron.

c) Le melon.

6. Que découvre-t-on dans la grotte sous-marine de Cosquer ?

a) D'incroyables stalagmites.

b) Des peintures datant du paléolithique.

c) Des carcasses de baleine.

7. Avec quoi garnit-on la pissaladière ?

a) Des tomates confites et des pignons de pin.

b) Des courgettes grillées et du thym.

c) Des oignons et des anchois.

Solutions, p. 140.

CENTRE

BOURGOG

POITOU-CHARENTES

LIMOUSIN

○ LIMOGES

AUVERGNE

RH

LOIRE

CLERMONT-FERRAND
○

Puy de Dôme

LE-PUY-EN-VELAY
○

Châtaignes
de Privas

ARDÈCH

PÉRIGUEUX ○

AQUITAINE

Loup du Gévaudan

LOZÈRE

Pont du G

LANGUEDOC-ROUSSILLO

GARD

MIDI-PYRÉNÉES

HÉRAULT

Mer Méditerranée

FRANCHE-COMTÉ

SUISSE

LAC LÉMAN

4 947 km

SAINT-GINGOLPH

BOURG-EN-BRESSE

AIN

HAUTE-
SAVOIE

AVORIAZ

SAMOËNS

Refuge de Tête-Rousse
Refuge du Goûter

MONT BLANC
(4 810 m)

CHAMBÉRY

SAVOIE

Parc national
de la Vanoise

BOURG-SAINT-MAURICE

ITALIE

ISÈRE

RHÔNE-ALPES

GRENOBLE

MONT THABOR
(3 178 m)

NÉVACHE

BRIANÇON

Noix
de Grenoble

Parc naturel
du Queyras

VALENCE

GAP

DRÔME

CEILLAC

HAUTES-ALPES

NTÉLIMAR

Refuge de Longon

Nougat de Montélimar

JAUSIERS

Parc national
du Mercantour

SAINT-ÉTIENNE-DE-TINÉE

UCLUSE

ALPES-DE-
HAUTE-
PROVENCE

MONT MOUNIER
(2 817 m)

SAINT-MARTIN-
VESUBIE

AVIGNON

ALPES-
MARITIMES

SOSPEL

MENTON

OUCHES-
-RHÔNE

PROVENCE-ALPES-CÔTE D'AZUR

NICE
CANNES

AIX-EN-PROVENCE

FRÉJUS

SAINT-TROPEZ

MARSEILLE

VAR

Les Alpes

~~~ 28 mai ~~~

LA GRANDE TRAVERSÉE
DES ALPES !

À Menton débute le GR5, qui va nous conduire à travers les Alpes jusqu'au village de Saint-Gingolph, situé au bord du lac Léman. Plus de 600 km nous attendent le long des frontières italienne et suisse, au cours desquels nous allons franchir pas moins de 39 cols. Autant dire que nos mollets vont devenir très très musclés ! Et les difficultés ne se font pas attendre…

Première étape : le **col du Berceau**, qui se trouve à 1 090 mètres d'altitude. Une ascension que nous entreprenons en plein soleil. Ici, il fait près de 30 °C, mais des experts nous ont prévenus qu'il y avait eu d'importantes chutes de neige sur les sommets. Nous nous sommes donc équipés de gants, bonnets, collants et avons même acheté des raquettes pour pouvoir marcher dans la neige. Résultat, nos sacs à dos sont encore plus lourds qu'avant : 13 kg et 18 kg ! Oh, que ça va être difficile cette traversée des Alpes…

～ 29 mai ～

AUX PORTES DU PARC DU MERCANTOUR

C'est à **Sospel**, située aux portes du Parc national du Mercantour, que nous passons notre première nuit alpine. Cette petite ville est connue pour son vieux pont à péage datant du XIIIᵉ siècle, un des derniers d'Europe. Le **parc du Mercantour** est l'un des plus sauvages de France. C'est ici que le loup a fait son retour en France, depuis l'Italie, alors qu'il avait complètement disparu depuis les années 30, tant il avait été chassé. Au-dessus de nous, de majestueux aigles planent dans le ciel et, au détour d'un sentier, il n'est pas rare que nous apercevions des mouflons et des cerfs.

Le lendemain, nous passons par le village de **Saint-Martin-Vésubie**, où de délicieux effluves viennent soudain chatouiller nos narines. Voilà comment nous découvrons le vieux four en pierres du village, devant lequel s'active le boulanger. Nous goûtons aussitôt à ses petits pains tout chauds… Hmm ! C'est exactement ce qu'il nous fallait pour reprendre des forces !

～ 3 juin ～

PREMIÈRE NUIT
DANS UN GÎTE ALPIN !

Prochaine étape : le **refuge de Longon**. Perché sur un vaste et magnifique plateau dominé par le mont Mounier, ce refuge est aussi appelé « vacherie de Roure », car on y rassemblait les vaches pour la traite. Aujourd'hui, un couple d'anciens gardiens de vaches reçoit les randonneurs pour le dîner et la nuit, entre mi-juin et fin septembre. Nous arrivons donc trop tôt pour les rencontrer, mais la salle hors sac (où les marcheurs peuvent se mettre à l'abri en toute saison) est ouverte, nous a-t-on dit. Après six heures de marche, nous atteignons ce refuge, alors que la nuit et la pluie commencent à tomber. Et là, frayeur : aucune porte ni aucun volet ne s'ouvrent ! Allons-nous dormir à la belle étoile, sans même un sac de couchage ? Ouf, Laurent réussit à ouvrir une porte. Nous dormirons au chaud !

5 juin

UN PETIT PARADIS...

Le lendemain, nous nous dirigeons vers le **mont Mounier** (2 817 mètres), dont le nom signifie le «mont noir», car sa roche est particulièrement sombre. La montée est difficile, mes mollets tirent et mon sac me scie les épaules... mais en haut, le panorama est à couper le souffle! Nous pouvons voir jusqu'au dôme de Barrot au sud et jusqu'au mont Pelat à l'ouest, un sommet de 3 000 mètres réputé pour être l'un des plus accessibles de sa catégorie. Puis notre descente est tout aussi fantastique: nous traversons des champs de fleurs multicolores, entendons les marmottes siffler sur notre passage, apercevons des bouquetins qui profitent des derniers rayons du soleil et même un renard venu boire à la rivière! Les randonneurs étant encore rares, les animaux n'ont pas peur de sortir de leur tanière... Quel incroyable spectacle!

6 juin

MARCHER ENSEMBLE

Nous rejoignons ensuite **Saint-Étienne-de-Tinée**, où a lieu chaque année, à la fin du mois de juin, la fête de la transhumance. Le village s'anime alors au rythme de l'arrivée des troupeaux et de leurs bergers qui s'apprêtent à rejoindre les alpages. Chacun revêt les habits traditionnels et des ateliers font revivre les travaux agricoles et les métiers d'antan comme le potier, le cordonnier, les fileuses ou les tricoteuses... Mais aujourd'hui, c'est un autre rendez-vous qui nous attend: douze adolescents d'un collège de Bourges vont nous accompagner pendant deux jours, et, pour la première fois, découvrir la montagne!

10 juin

CHAUSSEZ LES RAQUETTES !

Notre périple alpin se poursuit à travers le **Parc naturel régional du Queyras**, où nous franchissons le **col Girardin** (2 700 mètres): nous découvrons un paysage extraordinaire fait de roches, de lacs bleu turquoise et de monts enneigés, mais une mauvaise surprise nous attend également... C'est par la face nord, recouverte par plusieurs mètres de neige, que nous devons redescendre. La pente est si raide que nous ne pouvons même pas chausser nos raquettes (nous risquerions de glisser et de nous tordre les chevilles). Heureusement, des randonneurs sont passés par là avant nous et nous pouvons marcher dans leurs traces. Notre progression est lente et difficile, nos chaussures sont trempées et nos pieds gelés. Épuisés, nous arrivons au village de **Ceillac**. Ouf! Pour nous remettre de nos émotions, rien de tel qu'une délicieuse raclette!

16 juin

UN PETIT REMONTANT

Nous atteignons Briançon, tout près de la frontière italienne. Juchée à 1 326 mètres d'altitude, elle est considérée comme la plus haute ville de France, et a pour particularité d'être entourée d'immenses fortifications, conçues (une fois encore !) par Vauban. Un peu plus loin, nous arrivons à Névache, où nous goûtons la liqueur de génépi, à base de la fleur jaune aromatique du même nom. C'est l'alcool préféré des montagnards. C'est bon, mais sacrément fort ! Allez, on reprend la route vers le mont Thabor, dans le massif des Cerces. À présent, nous croisons de plus en plus de groupes de randonneurs… Les beaux jours sont de retour !

2 juillet

À NOUS LE MONT BLANC !

Avec ses 4 810 mètres d'altitude, le mont Blanc est le plus haut sommet d'Europe, ce qui lui vaut le surnom de « toit de l'Europe ». Mais son ascension est réputée difficile et dangereuse. C'est donc accompagnés d'un guide que nous allons nous lancer dans cette aventure. Nous nous équipons de tout le matériel nécessaire : crampons, chaussures rigides, piolets, vêtements chauds, lampes frontales, sans oublier les baudriers et la corde qui nous attachera les uns aux autres et nous retiendra en cas de chute. Ça s'annonce épique ! Première étape : le refuge de Tête-Rousse (3 167 mètres). Jusque-là, tout va bien, ce n'est pas trop difficile.

25 juin

EN SAVOIE…

Nous poursuivons notre avancée vers le nord, enchaînons les cols et entrons en Savoie. Après Bourg-Saint-Maurice, nous arrivons enfin sur le célèbre tour du mont Blanc. Sur près de 170 km (dont 10 km de dénivellation), cette randonnée aux panoramas exceptionnels passe par la France, l'Italie et la Suisse. Nous sommes prêts pour cette étape inoubliable !

L'aiguille du Midi.

3 juillet

TOUJOURS PLUS HAUT !

Nous attaquons la deuxième étape de notre tour du mont Blanc : le **refuge du Goûter** (3 817 mètres). Cette fois, ça se corse. Nous partons très tôt, à 1 h 30 du matin (après seulement 3 heures de sommeil), car dès que le soleil apparaît, la glace qui retient les pierres se met à fondre, ce qui rend le chemin très dangereux. À la lueur de nos lampes frontales, nous arpentons un passage baptisé « le couloir de la mort ». Il y a mieux pour se donner du courage ! Des heures plus tard, nous arrivons au refuge du Goûter, où nous ne nous reposons que 5 minutes (avec le soleil, la neige fond et le risque d'avalanche augmente). Heureusement, la fatigue est vite oubliée face à ce paysage extraordinairement beau : tout est blanc immaculé, avec devant nous l'**aiguille du Midi** qui culmine à 3 842 mètres. Mais tout de même, nous ressentons de plus en plus les effets de l'altitude : difficulté à respirer, mal à la tête, mal au ventre… Arrivée au **dôme du Goûter**, je suis à bout de force et le sommet est encore à quelques heures de marche. Nous nous arrêtons donc ici, fiers et heureux d'avoir approché pareille merveille !

9 juillet

LAC LÉMAN EN VUE

Notre périple alpin touche à sa fin ! Après avoir traversé **Samoëns** et le **col de Coux**, nous flirtons avec la Suisse et approchons d'**Avoriaz**, où nous ne cessons de nous faire doubler par des VTT qui dévalent les pentes à toute vitesse ! Nous sommes impressionnés ! Mais quand nous découvrons un peu plus loin qu'ils montent la côte en télésiège, nous ne pouvons nous empêcher d'être fiers de nos récents exploits ! Enfin, nous atteignons les bords tranquilles du **lac Léman**, qui marque la frontière entre la France et la Suisse. À nos pieds, **Saint-Gingolph**, Évian, Thonon… où un sentier beaucoup plus plat nous attend !

4947 km

Depuis le départ :

336 jours de marche

4 947 km parcourus

NOTRE DÉCOUVERTE
des
Alpes

Vers la Savoie…

Joli mont Pourri

Le point culminant du parc de la Vanoise est le sommet de la Grande Casse (3 855 mètres), suivi de près par le mont Pourri (3 779 mètres), l'un des plus beaux du parc. Alors pourquoi l'avoir ainsi baptisé ? Il tiendrait son nom de l'un des premiers montagnards à l'avoir gravi : un certain monsieur Purry ou Pourrit (l'orthographe est incertaine) !

Près de la dent d'Oche, en Haute-Savoie.

Sublimes balades dans le parc de la Vanoise

Situé en Savoie, dans le massif de la Vanoise, c'est le premier parc national à avoir été créé en France (en 1963). Il abrite de grandes stations de ski (Tignes, Val d'Isère…), comme des villages au charme d'antan (Bonneval-sur-Arc, Bessan…) Avec ses 107 sommets qui s'élèvent à plus de 3 000 mètres, ses larges vallées, ses glaciers et ses lacs d'altitude, c'est le paradis des randonneurs et des sportifs. Au fil des 600 km de sentiers, on peut espérer croiser bouquetins, marmottes, chamois, hermines, martres des pins (qui ressemblent à de petites fouines) ou mulots à collier.

Au cœur du parc de la Vanoise.

Le printemps est arrivé !

Le perce-neige, qu'on appelle aussi clochette d'hiver ou goutte de lait, est l'une des toutes premières fleurs à apparaître à la fin de l'hiver. Quelle surprise de voir ses délicats pétales surgir d'une fine couche de neige !

Depuis le col Girardin (2 700 mètres).

Sublime mont Blanc !

Pas farouches, les bouquetins !

Le funambule des montagnes

On reconnaît le chamois à ses petites cornes noires. Il vit entre 800 et 2 300 mètres d'altitude, où il trouve de l'herbe fraîche. Mais nous en avons vus à plus de 3 000 mètres et ils n'étaient pas du tout farouches ! Grâce à leur épaisse fourrure, ils ne craignent pas le froid : ils peuvent supporter une température de – 25 °C ! Ces rois des bonds et des cabrioles offrent un spectacle dont on ne se lasse jamais !

NOTRE PLAN SPORT

Vive la haute-montagne !

Dans les airs

Le parapente apparaît dans les années 60. Du haut d'un sommet, le parapentiste court pour gonfler sa voile avant de s'élever dans le ciel. Il utilise les courants d'air ascendants pour se diriger, regagner de la hauteur et prolonger son vol. En hiver, les plus téméraires peuvent chausser des skis pour dévaler les pentes enneigées à l'atterrissage !

Sur les pistes

La pratique du ski remonterait à plus de 5 000 ans avant J.-C., comme en témoignent des fragments de ski retrouvés près de gravures rupestres, en Suède. Avant de devenir une pratique sportive, le ski était l'un des principaux moyens de locomotion des montagnards (et de l'armée). Ce n'est qu'au milieu du XIXe siècle qu'apparaissent en Norvège et en Californie les premières compétitions de ski alpin (ou ski de piste). Les premiers championnats du monde sont organisés en 1931, en Suisse. Et c'est en 1936 que le ski devient une discipline olympique.

Le ski «télémark» est un ski de descente, où le talon n'est pas attaché au ski, ce qui permet de faire de grands virages en fléchissant la jambe intérieure.

Les amateurs d'émotions fortes les plus aguerris peuvent pratiquer le snowboard de figures, dans des zones spécialement aménagées et équipées de tremplins.

Au fil des rapides

Le rafting est un sport à sensation ! À bord d'un radeau pneumatique (ou raft), les équipiers munis de leur pagaie descendent une rivière à fort courant ou avec des rapides. Cette pratique est née sur le fleuve Colorado (États-Unis).

Du haut de ses 4 810 mètres, le mont Blanc attire chaque année des centaines de randonneurs (comme nous!) qui empruntent la Voie royale pour atteindre son sommet. Impossible de traverser les Alpes sans tenter ce formidable défi. Et si nous n'avons pas tout à fait atteint le sommet, nous ne sommes pas prêts d'oublier cette expérience unique.

Le massif du Mont-Blanc

Le chemin vers le mont Blanc est truffé de passages très périlleux.

Le mont Blanc a toujours fasciné... Les toutes premières tentatives de son ascension remontent à la fin du XVIIIe siècle.

Des exploits toujours plus fous !

En **1786**, répondant au défi lancé par Horace-Bénédict de Saussure, Jacques Balmat et Michel Paccard réussissent la toute première ascension du mont Blanc en deux jours.

En **1838**, Henriette d'Angeville, âgée de 44 ans, est la première femme qui effectue cette ascension sans aide. Trente ans plus tôt, c'est portée par ses guides que Marie Paradis avait atteint le sommet ! Précisons que c'est en robe qu'elle réalise cet exploit, puisqu'à l'époque les femmes ne sont pas autorisées à porter le pantalon.

En **1929**, une autre femme réalise un nouvel exploit : Marguette Bouvier effectue la première descente à skis du mont Blanc par – 40 °C.

N'oublions pas que les nombreux guides et porteurs qui accompagnaient ces incroyables expéditions ont eux aussi relevé le défi !

Enfin, plus près de nous, en **1990**, Pierre André Gobet a réalisé l'ascension aller-retour du mont Blanc, au départ de Chamonix, en 5 heures et 10 minutes.

En redescendant du dôme du Goûter…

Aux XVIIIᵉ et XIXᵉ siècles, l'ascension du mont Blanc était une aventure particulièrement dangereuse ! Les moyens techniques étaient bien plus rudimentaires qu'aujourd'hui. Ici, l'ascension du mont Blanc par Henriette d'Angeville en 1838.

Le nouveau refuge ultra-moderne du Goûter, qui a ouvert ses portes en juin 2013.

Le premier refuge

C'est en 1875 que Joseph Vallot, scientifique et botaniste, découvre le mont Blanc. Six ans plus tard, il en fait l'ascension (33 autres suivront !)
En 1890, il fait construire le tout premier refuge, à 4 362 mètres.
Il existe actuellement 4 refuges : le nid d'Aigle (2 372 mètres), Tête-Rousse (3 167 mètres), le Goûter (3 817 mètres) et le refuge Vallot (4 362 mètres), un simple abri construit à quelques mètres de la première cabane de Joseph Vallot.

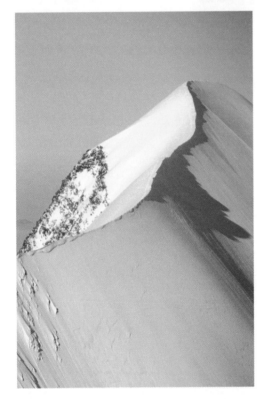

Tous les moyens sont bons !

L'ascension du mont Blanc s'est faite à pied et à skis, mais aussi en avion (le premier survol remonte à 1914) et en moto (sur une partie de l'itinéraire) ! De téméraires sportifs ont même réussi à atterrir au sommet du mont Blanc en parachute et en parapente.

Manche

6 134 km

BRAY-DUNES

BELGIQU

PAS-DE-CALAIS

LILLE

NORD-PAS-DE-CALAIS

VALENCIENNES

NORD

MAUBEUGE

AMIENS

PICARDIE

CHARLEVILLE-MÉZIÈRES

HAUTE-NORMANDIE

ARDENNE

LE HAVRE

Course Paris-Roubaix

REIMS

La Seine

MARNE

BASSE-NORMANDIE

CHAMPAGNE-ARDE

ÎLE-DE-FRANCE

SAINT-MALO

AUBE

BRETAGNE

ORLÉANS

PAYS DE LA LOIRE

CENTRE

BOURGOGNE

NANTES

DIJO

Château de Chenonceau

Marais
poitevin

Futuroscope
de Poitiers

Océan
Atlantique

AUVERGNE

POITOU-CHARENTES

LIMOUSIN

Le Jura, l'Alsace et la Lorraine

Le Rhin

LUXEMBOURG
VOLMERANGE-LES-MINES

LORRAINE

METZ

SARREGUEMINES

NIEDERSTEINBACH

LAUTERBOURG

BAS-RHIN

STRASBOURG

OBENHEIM

ALLEMAGNE

NANCY   MOSELLE

MEURTHE-
ET-MOSELLE

ALSACE

VOSGES

ÉPINAL

HAUT-
RHIN

HAUTE-SAÔNE

RÉCHÉSY

SAINT
LOUIS

FRANCHE-COMTÉ

...ÇON   DOUBS

...OLE

GORGES
DU DOUBS

TERRITOIRE-
DE-BELFORT

JRA   MONT D'OR
(1 463 m)

MÉTABIEF

SAUT DU DOUBS

COL DE LA FAUCILLE

Parc naturel
régional du Haut-Jura

SUISSE

Lac Léman

SAINT-GINGOLPH

...ÔNE-ALPES

14 juillet

LA GRANDE TRAVERSÉE
DU JURA

Nous pensions qu'après les Alpes ce serait plus simple… Nous avions tout faux ! Dès notre entrée dans le massif du Jura, nous nous attaquons aux 1 323 mètres du col de la Faucille. Pourquoi ce drôle de nom ? Tout simplement parce que, depuis le lac Léman, sa silhouette évoque celle d'une faucille ! Nous grimpons et ça tire encore sacrément sur les mollets ! Mais le panorama est une fois de plus à la hauteur de nos efforts : la vue sur le lac Léman et la Suisse est magnifique. Par temps très clair, il paraît même que l'on voit jusqu'au mont Blanc !

Nous continuons à suivre le GR5, ici nommé la Grande Traversée du Jura (GTJ), qui passe par le **Parc naturel du Haut-Jura**. Nous restons à l'affût, espérant apercevoir un chamois, un grand murin (l'une des plus grandes espèces de chauves-souris en France), un grand tétras (un grand coq de Bruyère) ou peut-être un lynx d'Eurasie (qui avait disparu à la fin du XIXᵉ siècle et a été réintroduit dans les années 70). Quand tout à coup surgissent à quelques mètres de nous un bébé chamois et sa maman !

16 juillet

VOUS REPRENDREZ BIEN UN PEU DE FROMAGE ?

C'est sous une pluie incessante que nous pénétrons dans l'immense **forêt jurassienne**. Il faut savoir que plus de la moitié du Jura est boisée! La forêt de la Joux est même la plus grande sapinière d'Europe et les Jurassiens en sont si fiers qu'ils élisent leur «sapin président» : celui qui bat le record de taille. Actuellement, le détenteur du titre atteint 45 mètres de haut! Malheureusement, le brouillard et les chemins tout boueux nous empêchent de savourer la beauté du décor. Mais nos soirées sont beaucoup plus chaleureuses. Chaque soir, nos hôtes nous font goûter les spécialités de leur région. Au menu: saucisse de Morteau et plateau de fromages (très garni!) avec de la cancoillotte bien coulante, et bien sûr du morbier et du comté, qui sont produits artisanalement dans de petites fromageries appelées «fruitières».

18 juillet

LE SECRET DU MONT D'OR

Nous voici au pied du **mont d'Or**, le point culminant du département du Doubs avec ses 1 461 mètres d'altitude. Et le mont d'Or, c'est aussi un fromage au lait cru typiquement franc-comtois! Sa particularité? Il est si coulant qu'il faut l'entourer d'une sangle en écorce d'épicéa, qui lui donne son petit goût inimitable. Et voilà que nous rencontrons un sanglier au cœur de la forêt jurassienne. Pas l'animal! L'artisan qui fabrique les sangles du mont d'Or en écorçant puis découpant des lamelles de bois dans le tronc des épicéas. Aujourd'hui, ils ne sont plus qu'une poignée à exercer ce métier qui n'existe qu'en Franche-Comté.

20 juillet

FAN DE SAUT À SKI

Près de **Métabief**, la plus importante station de sports d'hiver du Haut-Doubs, nous rencontrons Romain, 15 ans, qui est fan de ski nordique combiné: c'est une course de ski de fond suivie d'un saut à ski. Ce champion a même participé à une coupe du Monde de saut. C'est à 90 km/h qu'il dévale la pente tout schuss, avant d'exécuter un saut de plus de 110 mètres de haut!

23 juillet

D'UN EXTRÊME À L'AUTRE

Nous entrons aujourd'hui dans les **gorges du Doubs**, une vallée profonde et sinueuse qui abrite le saut du Doubs, une spectaculaire chute d'eau de 27 mètres de haut. Un peu plus loin, dans la haute vallée du Doubs, l'ambiance est nettement moins bucolique : c'est près des « échelles de la mort » que nous passons. Leur origine remonte aux XVIIIe et XIXe siècles. À l'époque, nombreux étaient les contrebandiers à transporter tabac, farine, café ou sucre le long de la frontière franco-suisse. Et pour échapper aux douaniers (appelés les « gabelous »), ils gravissaient des échelles à flanc de falaises. Une ascension vertigineuse et très dangereuse qui pouvait mal tourner.

28 juillet

COUP DE CHAUD EN ALSACE !

Dès notre entrée en **Alsace**, l'ambiance change : cette fois, nous avons bel et bien quitté la montagne ! La route est de nouveau plate et notre progression est rythmée par les nombreux villages que nous traversons. Ici, les noms de lieux prennent des consonances germaniques : Obenheim, Dambach, Niedersteinbach… tandis que les maisons à colombages et leurs pimpants géraniums rivalisent de charme. Autre changement notoire : le temps ! En Alsace, le climat est semi-continental : en hiver il fait très froid, et en été il fait très chaud ! Voire très très chaud : nous avançons par près de 38 °C ! Sur la place d'un village, je m'effondre d'un coup. Le verdict du médecin est inflexible : repos pendant une semaine !

3 août
LE POIDS DE L'HISTOIRE

Ici, les gens parlent aussi bien le français que l'allemand et l'alsacien (le dialecte le plus fréquemment parlé en France). L'Alsace a connu une histoire mouvementée qui a marqué de nombreuses générations : rattachée à la Prusse en 1870, redevenue française en 1918, puis de nouveau sous domination allemande pendant la Seconde Guerre mondiale, elle a été rendue à la France à la Libération en 1945. La famille de notre hôte Sylvie, comme beaucoup d'autres, porte les traces de ce passé douloureux : son grand-père est né allemand en 1901, son père est né français en 1934, puis sa tante est née en 1942 sous l'occupation allemande. En 1945, ils ont bien sûr repris la nationalité française.

La Petite France, à Strasbourg.

5 août
LA PETITE FRANCE

À partir de **Saint-Louis**, nous longeons le Rhin, qui marque la frontière avec l'Allemagne. Après des kilomètres de marche en solitaire, nous ne sommes pas mécontents d'atteindre **Strasbourg**. Nous nous baladons au détour des ruelles et des canaux de la Petite France, cet ancien quartier des tanneurs, des meuniers et des pêcheurs qui a gardé un charme fou ! À quelques pas de là, c'est un autre visage de Strasbourg que nous découvrons : la capitale européenne, où siège le Parlement européen depuis 1952. Autre curiosité : c'est pour l'armée de Strasbourg que Claude Rouget de Lisle a commencé à composer *La Marseillaise*, le chant patriotique de la Révolution française, devenu notre hymne national en 1879.

Strasbourg.

8 août
AU DÉTOUR
DE LA LIGNE MAGINOT

Nous atteignons **Lauterbourg**, la ville la plus à l'est de la France, nous traversons les Vosges, puis entrons en Lorraine. À partir de là, nous longeons trois frontières allemande, luxembourgeoise et belge. Non loin de **Volmerange-les-Mines**, nous découvrons une partie des fortifications de la ligne Maginot. Construites au lendemain de la Première Guerre mondiale, elles devaient protéger la France en cas d'une nouvelle invasion de l'Allemagne, mais elles se révèlent complètement inutiles lorsque la Seconde Guerre mondiale éclate, car l'Allemagne lance des attaques aériennes.

14 août
C'ÉTAIENT LES CORONS...

Près de **Longwy**, nous traversons des villes qui ont connu une forte activité à l'époque de la révolution industrielle (au milieu du XIXe siècle). Le long des rues rectilignes s'alignent les corons, ces maisons typiques en briquettes rouges de la région Lorraine où vivaient les mineurs et leurs familles. Un peu plus loin, dans les Ardennes, nous faisons une halte à **Charleville-Mézières**, où nous découvrons la place Ducal, qui nous rappelle aussitôt la place des Vosges de Paris! Jörg nous explique que ces deux places ont été construites par deux frères : Louis Métezeau pour Paris et Clément Métezeau pour Charleville-Mézières. Voilà pourquoi elles se ressemblent tant! Puis Jörg nous emmène au cimetière, où repose le poète Arthur Rimbaud. Avant de partir, nous glissons un petit mot dans la boîte aux lettres qui a été installée près de sa tombe.

Charleville-Mézières.

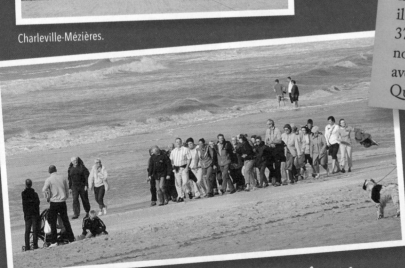

25 août
APRÈS 6 134 KM À PIED !

Nous revoici dans le Nord-Pas-de-Calais, point de départ de notre tour de France! Nous passons **Maubeuge**, **Valenciennes** et **Lille**, la « Capitale des Flandres ». Nous nous mêlons à la foule qui va et vient sur sa majestueuse Grand'Place et admirons les façades colorées qui l'entourent. Une centaine de kilomètres plus loin, nous retrouvons **Bray-Dunes**, la plage et la mer du Nord que nous avions laissées derrière nous il y a un peu plus d'un an. 6 134 km parcourus et 379 jours de marche… Ce n'est pas rien ! Nos familles, nos amis et de nombreuses personnes venues marcher avec nous ou qui nous ont hébergés nous attendent… Quelle émotion !

Fin de notre parcours :

379 jours de marche

6 134 km parcourus

À l'assaut du col de la Faucille !

Cherchez la borne !

Sur les hauteurs de Chapelle-des-Bois, non loin du col de la Faucille, on peut encore trouver des bornes frontières, qui servaient à délimiter les territoires au XVIIe siècle. Sur ces bornes de pierre étaient gravés les blasons des royaumes situés de part et d'autre de la frontière. Sur celles qui délimitaient la Franche-Comté du canton de Berne (aujourd'hui en Suisse) sont ainsi représentés : un lion (symbole de la Franche-Comté), un ours (symbole du canton de Berne), une fleur de lys (symbole de la monarchie française). Et au lendemain de la Révolution fut ajoutée la lettre « F », symbolisant la République française. Au total, plus de 300 bornes jalonnent encore la frontière franco-suisse. Les retrouver tient parfois du jeu de piste, car la plupart sont ensevelies sous les ronces !

En route vers le village de Chapelle-des-Bois.

À l'approche du saut du Doubs…

Grands papillons noirs

Il existe une grande variété de costumes traditionnels alsaciens. Mais la coiffe qui reste dans toutes les mémoires est celle à grand nœud noir (surnommée "grands papillons noirs"), qui est apparue au lendemain de la guerre de 1870. L'Alsace devient alors une province allemande, et cette coiffe devient un symbole patriotique.

La Saint-Nicolas

En Alsace, saint Nicolas est très populaire. Dans la nuit du 5 au 6 décembre, il distribue des confiseries et des gâteaux aux enfants sages ! L'origine de cette tradition remonte au IIIe siècle après J.-C., à l'époque où vivait l'évêque Nicolas de Myre, un homme connu pour sa grande générosité, qui était le protecteur des enfants et des plus faibles. C'est aussi à cette occasion que se tenait un grand marché sur la place des villes, le «marché de saint Nicolas», qui a ensuite donné naissance aux marchés de Noël. Aujourd'hui, la Saint-Nicolas est fêtée en Alsace et dans tout le nord de la France, mais aussi en Belgique, en Suisse ou encore en Allemagne.

Belle vue sur le lac Léman…

Le célèbre quartier de la Petite France à Strasbourg.

En contournant le lac Léman, nous traversons des champs de tournesols.

En Lorraine, les moissons ont commencé…

Porte-bonheur alsacien

La cigogne alsacienne est la cigogne blanche. D'après la croyance populaire, une cigogne qui construit son nid sur la cheminée d'une maison promet une naissance, mais aussi la richesse et la santé ! Elle protégerait même la maison contre la foudre !

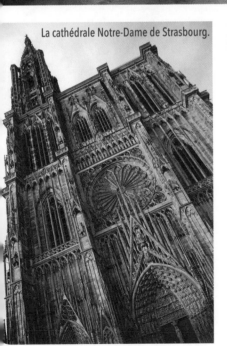

La cathédrale Notre-Dame de Strasbourg.

Les gueules noires

Au milieu du XIXe siècle, la France connaît un véritable essor industriel, notamment grâce à l'exploitation des mines de charbon et de fer situées en Lorraine. Pour répondre aux importants besoins de main-d'œuvre, des travailleurs viennent de toute la France mais aussi d'Italie, de Pologne, d'Algérie ou encore du Maroc.
Les mineurs travaillaient dans des conditions particulièrement difficiles et dangereuses : chaque jour, ils étaient menacés par une explosion de bâtons de dynamite, l'écroulement d'une galerie, une chute, la silicose (maladie pulmonaire)… Dans les mines de charbon, les mineurs étaient surnommés les «gueules noires». Dans les mines de fer, on les appelait les «gueules jaunes».
Aujourd'hui, on peut notamment visiter le parc du haut-fourneau «U4», à Uckange.

Le beffroi de l'hôtel de ville de Lille.

NOTRE PLAN SPORT
Vive l'aventure !

On peut découvrir le Jura à pied, mais aussi en VTT...

en ski-roues...

en raquettes...

en traîneau à chiens...

ou en ski de fond !

Ski d'été

L'été, lorsqu'il n'y a pas de neige, les mordus de skis remplacent le ski de fond par le ski-roues, aussi baptisé «ski à roulettes» ou «rollerski». Depuis 2001, a lieu chaque année la course «Trans'roller», où les passionnés s'affrontent sur un parcours de 34 km entre Pontarlier et Mouthe (qui est aussi connu pour être le village le plus froid de France !).

au saut à ski !

Saut à ski ou combiné ?

Si vous êtes tenté par le saut à ski, voici tous les secrets pour réaliser un saut de qualité : avoir une prise de vitesse suffisante dans la descente, faire un saut puissant au moment où vous décollez du tremplin et trouver votre équilibre pendant le vol, afin d'atterrir le plus loin possible ! Si vous préférez le combiné nordique, qui allie le saut à ski au ski de fond, sachez qu'il vous faudra faire preuve à la fois d'une grande maîtrise technique et d'une bonne endurance.

Romain, en compétition de ski nordique combiné : du ski de fond...

Le Jura offre un cadre idéal pour une balade en traîneau à chiens. Les pilotes de ces attelages sont appelés les mushers (de l'anglais *mush* qui veut dire «marche»). Ils doivent faire preuve d'équilibre, de force, mais aussi d'endurance. Le choix du chien de tête est également très important.

alsaciennes

Le kugelhopf, une brioche cuite dans un moule en terre émaillée à la forme très caractéristique.

Le bretzel, un biscuit salé tout moelleux parsemé de gros grains de sel.

Les flammenküche sont garnies de fromage blanc, d'oignons et de lardons. Ici, on roule sa part pour la manger avec les doigts !

Les spaetzle, des pâtes épaisses aux œufs frais que l'on fait sauter après cuisson dans une poêle beurrée.

La choucroute, un plat incontournable qui se révèle très complet !

Les bredele, des petits sablés au beurre, parfois parfumés à l'anis ou à la cannelle, qui prennent toutes les formes pour célébrer Noël !

Le baeckeoffe, ou « potée du boulanger », est un plat de viandes et de pommes de terre mijoté dans une terrine fermée par un cordon de pâte.

Le kugelhopf

Pour 6 à 8 personnes
Préparation : 35 minutes (+ pâte à laisser reposer 2 h 30)
Cuisson : 45 minutes

Ingrédients

500 g de farine, 200 g de beurre mou, 100 g de sucre, 50 g de raisins secs, 50 g d'amandes entières, 2 œufs, ¼ de litre de lait, 25 g de levure de boulanger, 1 pincée de sel, sucre glace.

Préparation

Faire préchauffer le four à 180 °C.

Faire tiédir le lait. En prélever ½ verre pour délayer et laisser gonfler la levure. Faire gonfler les raisins secs dans de l'eau tiède.

Dans une terrine, mélanger la farine, le sucre, le sel. Ajouter le lait tiédi, les œufs et le beurre mou par petites quantités. Soulever la pâte et la pétrir à la main en l'aérant le plus possible (autrefois, on travaillait ainsi la pâte durant une demi-heure) ou battre la pâte pendant 10 minutes dans un robot ménager. Lorsque la pâte se décolle bien, incorporer la levure et battre encore la pâte quelques instants.

Ramener la pâte au fond de la terrine et la recouvrir d'un linge. Faire lever la pâte dans un endroit tiède (1 heure environ). Quand elle a bien gonflé, la battre pendant une minute à la main (ou au robot) et ajouter les raisins égouttés. Recouvrir la pâte d'un linge et la faire lever à nouveau pendant 1 heure. Beurrer un moule à kugelhopf et garnir ses cannelures d'amandes. Verser doucement la pâte dans le moule. Laisser encore lever la pâte jusqu'à ce qu'elle dépasse un peu des bords du moule.

Enfourner et faire cuire environ 45 minutes. Démouler le kugelhopf quand il a refroidi et le servir saupoudré de sucre glace.

C'est dans les Winstub, les traditionnelles tavernes alsaciennes, que l'on vient déguster tous les plats du terroir.

Winstub · Bierstub · Le Gourmand

COMMENT PRÉVOIR LE TEMPS ?

COMMENT LIRE LE CIEL ?

Les nuages bas

Les **stratus**, qui rendent le ciel gris et lourd, annoncent brouillard et brume.

Les **stratocumulus**, blancs ou gris avec des parties sombres, annoncent la pluie, voire la neige.

Les **nimbostratus**, épais et gris sombre, annoncent des précipitations faibles ou moyennes.

Les nuages élevés

Les **cirrus**, qui ressemblent à des filaments blancs, annoncent un front chaud.

Les **cirrostratus**, souvent accompagnés d'un petit halo, annoncent une dépression.

Les **cirrocumulus**, en forme de fleur de coton, annoncent le froid.

Les nuages à moyenne altitude

Les **altostratus**, qui forment une large couche grise aux limites floues, sont signes de pluie ou de neige.

Les **altocumulus**, nappes de nuages blancs ou gris, annoncent l'orage.

Les nuages à développement vertical

Les **cumulus**, qui ressemblent à des choux-fleurs, sont signes de beau temps.

Les **cumulonimbus**, qui peuvent prendre la forme d'une enclume, annoncent averses, foudre, tornades ou grêle.

Un cumulonimbus.

Des cirrus.

QUE FAIRE EN CAS D'ORAGE ?

• Ne jamais s'abriter sous un arbre isolé, car sa cime attire la foudre. Si tu es en forêt, abrite-toi sous les arbres les plus bas et éloigne-toi des troncs et des branches.

• S'éloigner des structures métalliques (pylône, clôtures…) et ne laisser aucun objet métallique (piolet, bâton de randonnée…) dépasser du sac à dos.

• Si tu marches avec un groupe, laisse au moins 3 mètres entre chaque personne pour éviter que la foudre ne se propage de l'une à l'autre.

• Si tu es en montagne, éloigne-toi du sommet et des crêtes.

• Tu peux te mettre en boule par terre, en t'isolant du sol avec ton sac à dos, ou en t'asseyant sur un rocher.

• Tu peux t'abriter dans une grotte, mais veille à t'éloigner des parois.

les Alpes

1. Quelle est l'altitude du mont Blanc ?
a) 4 710 mètres.
b) 4 810 mètres.
c) 4 910 mètres.

2. Le lac Léman marque la frontière entre :
a) La France et la Suisse.
b) La France et l'Allemagne.
c) La France et l'Italie.

3. À quoi reconnaît-on un chamois ?
a) À ses longues cornes recourbées.
b) À ses cornes en tire-bouchon.
c) À ses petites cornes noires.

4. Quelle est la spécificité du parc de la Vanoise ?
a) C'est ici que le loup a refait son apparition.
b) C'est le premier parc national à avoir été créé en France.
c) C'est le seul parc alpin où il y a des ours.

5. Que font les marmottes pour prévenir leurs congénères d'un danger ?
a) Elles grattent le sol.
b) Elles sifflent.
c) Elles claquent des dents.

6. Quel nom porte l'itinéraire menant au mont Blanc ?
a) La Voie blanche.
b) La Voie céleste.
c) La Voie royale.

7. En combien de temps a été réalisée la première ascension du mont Blanc ?
a) 2 jours.
b) 5 jours.
c) 7 jours.

le Jura et l'Alsace-Lorraine

1. Quel animal ne vit pas dans le parc du Haut-Jura ?
a) Le lynx.
b) Le chamois.
c) La vache de Betizu.

2. Dans le Jura, comment s'appelle le lieu où l'on fabrique le comté ?
a) Des fromagères.
b) Des fruitières.
c) Des comtières.

3. Quel poète est originaire de Charleville-Mézières ?
a) Arthur Rimbaud.
b) Charles Baudelaire.
c) Jacques Prévert.

4. En Alsace, comment appelle-t-on les sablés de Noël ?
a) Les bretzels.
b) Les bredele.
c) Les spaetzle.

5. Quels sports associe le combiné nordique ?
a) Le ski de fond et le saut à ski.
b) Le ski alpin et le ski de fond.
c) Le ski de piste et le saut à ski.

6. Quel ingrédient ne figure pas dans la recette du kugelhopf ?
a) La cannelle.
b) Les raisins secs.
c) Les amandes entières.

7. Qu'est-ce qu'un winstub alsacien ?
a) Une pâtisserie à la liqueur.
b) Un petit train touristique.
c) Une taverne traditionnelle.

Solutions, p. 140.

SOLUTIONS DES QUIZ

Le quiz du Nord : 1_b ; 2_c ; 3_b ; 4_c ; 5_a et b ; 6_b ; 7_a.
Le quiz de la Normandie : 1_a ; 2_c ; 3_a, b, c ; 4_b ; 5_c ; 6_c ; 7_b.
Le quiz de la Bretagne : 1_a ; 2_c ; 3_a ; 4_a ; 5_a ; 6_a ; 7_b.
Le quiz de l'Atlantique : 1_a ; 2_b ; 3_a ; 4_c ; 5_c ; 6_b ; 7_c.
Le quiz des Pyrénées : 1_a ; 2_a ; 3_a ; 4_c ; 5_b ; 6_b ; 7_c.
Le quiz de la Méditerranée : 1_c ; 2_c ; 3_c ; 4_b ; 5_b ; 6_b ; 7_c.
Le quiz des Alpes : 1_b ; 2_a ; 3_c ; 4_b ; 5_b ; 6_c ; 7_a.
Le quiz du Jura et de l'Alsace-Lorraine : 1_c ; 2_b ; 3_a ; 4_b ; 5_a ; 6_a ; 7_c.

REMERCIEMENTS

À monsieur Campion de la confiserie Despinoy, située à Fontaine-Notre-Dame, 1519 Route Nationale, pour ses bêtises de Cambrai.

Mille mercis aux éditions Belin, à Terres d'Aventure, Michelin, Garmin, Upsolar, la Fédération française de randonnée, la GTA, *Géo Ado*, Grand Angle Production, United Spirit, Handicap international, l'Office de Tourisme de Bray-Dunes.

Mille mercis à tous ceux qui sont venus marcher avec nous, qui nous ont hébergés pendant le voyage et à tous les donateurs sur notre page de collecte Handicap international !

Sans oublier Anne, Martine, André, Marc, Cathy et Blandine pour leurs délicieuses recettes traditionnelles !

LES LIVRES D'AURÉLIE

Lya au temps des Incas (Belin, 2008)
Saya, héritière de l'Empire Inca, tome I (Prisma, 2012).

LES LIVRES ET LES FILMS DE LAURENT

Paris-Séoul, on the roads of Eurasia, en collaboration avec Philippe Lansac (GNC Media, 2003)
Paris-Tokyo, carnet de route, en collaboration avec Philippe Lansac (éditions du Garde-Temps, 2004)
L'Inde des parfums, en collaboration avec Nicolas de Barry (éditions du Garde-Temps, 2004)
Alaska, sur les traces des pionniers, en collaboration avec Megan Son et Philippe Lansac (éditions Arthaud, 2004)
Je vous écris de Bombay (éditions du Garde-Temps, 2005)
Canada, sur les traces de Jacques Cartier, en collaboration avec Philippe Lansac (éditions Arthaud, 2005)
America, la légende de l'Ouest, en collaboration avec Megan Son et Philippe Lansac (éditions France Loisirs, 2006)
À la recherche de la Grande Route inca, en collaboration avec Megan Son (éditions Géo, 2008)
Terres d'aventure, sur les traces des grands explorateurs, direction d'ouvrage en collaboration avec Ève Sivadjian (Solar, 2011)

Mundo Maya (Anaphora Productions, 2011)
America, la légende de l'Ouest (Gedeon Programmes/Anaphora Productions, 2009)
Qhapaq Ñan, 6 000 km à pied… À la recherche de la Grande Route inca (France 5/Gedeon Programmes, 4 films, 2008)
Carnets d'Alaska, Aldabra Films.

LES LIVRES ET LES FILMS D'AURÉLIE ET LAURENT

Bienvenue chez vous ! (Solar, 2012)
Le Tour de France à pied (Glénat, 2013)
Le Tour de France à pied (Grand Angle Productions, 3 films, 2013)
Just Married ! Les mariages du monde (France Télévisions/Gedeon Programmes, série de films, depuis 2012).

http://www.aureliederreumaux.com
http://www.laurentgranier.fr
http://www.tourdefranceapied.com

═══════════